CONTATTI
an intermediate course in

ITALIAN

MARIOLINA FREETH • GIULIANA CHECKETTS

Hodder & Stoughton

A MEMBER OF THE HODDER HEADLINE GROUP

Orders: please contact Bookpoint Ltd, 130 Milton Park, Abingdon, Oxon OX14 4SB. Telephone: (44) 01235 827720, Fax: (44) 01235 400454. Lines are open from 9.00–6.00, Monday to Saturday, with a 24 hour message answering service. You can also order through our website: www.madaboutbooks.com

British Library Cataloguing in Publication Data
A catalogue record for this title is available from The British Library

ISBN 0 340 52993 8

First published 2000
Impression number   10   9   8   7
Year   2005   2004

Hodder Headline's policy is to use papers that are natural, renewable and recyclable products and made from wood grown in sustainable forests. The logging and manufacturing processes are expected to conform to the environmental regulations of the country of origin.

Illustrations by Francis Scappaticci, David Hancock and Kay Dixey.

Cover illustration: Barry Ablett

Typeset by Carla Turchini
Printed in Great Britain for Hodder & Stoughton Educational, a division of Hodder Headline, 338 Euston Road, London NW1 3BH by J.W. Arrowsmith Ltd, Bristol

Acknowledgements

The authors and publishers are indebted to the following for use of their material in this book:
ACI p10; Alitalia, Galleria Ferrari, Comune di Firenze, Hotel Luna Convento, Amalfi, Piscina Lacugnano, Teatro Romano pp12-13; Benetton Group SpA pp100-101; Bompiani: extract from Alberto Moravia: *Agostino*, p131; © Andrea De Carlo 1992 (Vicki Satlow Literary Agency) p141; Domenica Quiz pp16, 133; Libreria Viaggi & Vacanze, Milano p55; Olivetti p18; Philips Lighting p66; STET SpA p74; Telecom Italia p15.

Articles: *Corriere della Sera* pp20, 36, 45, 54, 71, 88, 93, 95, 132, 150, 157; *Donna Moderna* pp42-3, 84; *Epoca* p30; *Oggi* pp109, 143; *Radiocorriere* p80; *La Repubblica* pp62, 64, 65, 89, 117, 118, 122-3, 125, 135, 152, 165, 179; *La Stampa* pp72-3, p155.

Every effort has been made to trace ownership of copyright. The publishers will be glad to make suitable arrangements with any copyright holders whom it has not been possible to contact.

Photo acknowledgements

The publishers would like to thank the following for use of their photographs:
Action-Plus (rugby) p34; AKG (Botticelli) p1, 'Portrait of Duke Frederick of Montefeltno' by Urbino p33, (old Milan) p106; Fratelli Alinari (Rome) p106; Ancient Art & Architecture Collection p162; Associated Press p29, p30, p61 (bottom), p62, p72, p73, (Luciano Benetton) p100, p109, p120, MIRAMAX FILMS (*Il Postino* no.1) p121, (bottom) p155; Benetton (posters) pp100-101; Corbis: John Heseltine (Florence) p6; BDV (Versace), Ira Nowinski (Pavarotti), Bettmann (Moravia) p7; Neal Preston (Tina Turner), E.O. Hoppé (Shaw) p43; Miki Kratsman (Toscani) p100; Bettmann p110; Dean Conger p122, Bettmann p143; 'A Young Man' by Piero di Cosimo by permission of the trustees of Dulwich Picture Gallery p33; Fiat p50, p56; Ronald Grant Archive (*Il Paradiso*) p1, (*L'Eclisse*) p95, (*Il Postino* nos. 2-4) p121, (*Thelma and Louise*) p163; Life File (roast beef, football) p34, p49, p64, p88, p93, p164; Ruth Nossek (top) p84; Olympia SpA (Primo Levi) p7, p48, p53, p58, (modern Milan, Palermo) p106; Scala Group: 'The Gardener' by Van Gogh p165; Rebecca Teevan (centre) p125. All other photos courtesy of the authors and editor.

Introduction

Contatti 2 is an intermediate coursebook for young adults and adult learners who have a working knowledge of Italian equivalent to that provided by *Contatti 1* (roughly GCSE higher level). While continuing to aim for practical and effective communication, *Contatti 2* makes a point of significantly expanding vocabulary and exposes the student to grammar structures of increasing complexity, up to and into A level work. In fact, it is equally suitable for one-year AS or first-year A level students as for adult non-exam classes.

There are eight **units**, each divided into two or three free-standing sections requiring on average three hours' classwork, making a total of nine hours per unit. Teachers will find that with grammatical reinforcement, revision and follow-up activities, there is plenty of material for a year's work.

As in *Contatti 1*, each unit opens with a **Focus** page – a useful visual-cultural stimulus to conversation and a natural entry into the vocabulary for the tasks ahead. The Focus also gives opportunities for practising new structures in an unobtrusive manner. Care has been taken to choose **themes and topics** relevant to Italian contemporary life and to present them in an involving, practical way that stimulates discussion. Most of the new AS topics are represented here. All four skills – speaking, listening, reading and writing – are used throughout. The activities are often task-based and interactive. A **Studente B** section at the back of the book provides material for independent work followed by exchange of information. For their answers students will call on their own experience and opinions. At the end of each group of activities based on a text there are suggestions for **Per casa** writing activities which sum up or develop what has gone on before. Students can work on these in class or at home at their own speed. You will soon find that in each unit there is something for every level.

The **grammar** presented in each unit is highlighted in boxes and summarised at the end. A comprehensive **grammatica** and **indice analitico** appear at the end of the book. The grammar introduced in *Contatti 1* is constantly recycled and revised in the early units. The use of the past tenses is given a central position. The most common uses of the conditional and the subjunctive are introduced discreetly early on and gradually phased in through more complex situations. Teachers will realise that, given the constraints of space, supplementary activities and grammar reinforcement will be advisable.

A word on the **form of address**: we have decided that in addressing a mostly adult audience the *lei* form would be more appropriate in instructions as this would reflect real-life situations. However, students should be encouraged to use both *tu* and *lei* in their interactions.

Italian is the only **language** used in the body of the course. English is used in the vocabulary boxes that accompany certain texts and dialogues, in translations of grammar examples, and in explanations in the reference grammar. Also at the end is a **Vocabolario funzionale** with translations of grammatical terms and words used in the instructions. Throughout there are activities to encourage students to be aware of word formation and derivatives and to use dictionaries independently.

A **key** to the exercises and a **transcript** of recorded material are provided in the **Support Book** that accompanies the **Cassettes**.

Like *Contatti 1*, *Contatti 2* grows out of the desire to share the Italian language and culture with as many people as possible, drawing on years of experience in the classroom. As every teacher knows, the intermediate Italian class is a complex mixture of levels, experiences and abilities. *Contatti 2* addresses just those expectations. We hope you will enjoy the course. *Buon lavoro!*

Contents

Gente

- • Incontri e presentazioni
- • Parlare di viaggi
- • Gusti e preferenze
- • Contatti telefonici
- • Infoitalia

Risponda e confronti con le risposte dello studente alla sua destra.

Un quiz sull' Italia

a   Il nome Italia per lei si associa con:

1   Vacanze al sole
2   Musica, opera
3   Il Rinascimento
4   Città famose (Venezia, Firenze)
5   Dieta mediterranea
6   Mafia

b   Quali prodotti italiani conosce?

1   Macchine
2   Abbigliamento
3   Computer
4   Prodotti alimentari
5   Film
6   Calzature

c Tra queste, scelga tre
caratteristiche italiane:
1 Comunicativa
2 Generosità
3 Senso pratico
4 Impazienza
5 Disinvoltura
6 Allegria

d Indichi due personaggi
contemporanei che conosce:
1 Zucchero
2 Pavarotti
3 Gae Aulenti
4 Rossellini
5 Versace
6 Rita Levi Montalcini

e Quale di questi scrittori conosce?
1 Primo Levi
2 Dante
3 Dario Fo
4 Pirandello
5 Alberto Moravia
6 Natalia Ginzburg

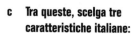

Ⓐ Gente che va, gente che viene

1 Facciamo conoscenza

1 NOME E COGNOME

2 ETÀ E LUOGO DI NASCITA

3 TELEFONO

4 OCCUPAZIONE

5 STATO CIVILE

6 CARATTERE
- ☐ dolce
- ☐ timido
- ☐ aperto
- ☐ chiuso
- ☐ ottimista
- ☐ pessimista
- ☐ distratto
- ☐ allegro
- ☐ sicuro di sé
- ☐ meticoloso
- ☐ generoso
- ☐ idealista
- ☐ pratico
- ☐ preciso

7 STUDIO DELL'ITALIANO
- ☐ da un anno/sei mesi ecc.

8 CONOSCENZA DELL'ITALIANO
- ☐ elementare ☐ buona
- ☐ discreta ☐ ottima

9 FILM ITALIANI VISTI DI RECENTE

10 LETTURE IN ITALIANO

11 INTERESSI E PASSATEMPI

12 PERCHÉ L'ITALIANO?

13 VIAGGI IN ITALIA

14 AMICI ITALIANI

ⓐ 👥 Intervisti un altro studente e riempia la scheda. Prepari prima le domande, usando le parole nel riquadro.

ⓑ 👥 💬 Trovi tre cose in comune con la persona che ha intervistato.

es:

Tutti e due abbiamo visto il film
Cinema Paradiso.

Tutte e due *(fpl)*	*both*
Tutti e due *(mpl– m/fpl)*	

ⓒ 💬 Presenti la persona al gruppo e dica che cosa avete in comune.

Vorrei presentarvi	il signor...
	la signora... *+ nome*
	la signorina...

2 Viaggi all'estero

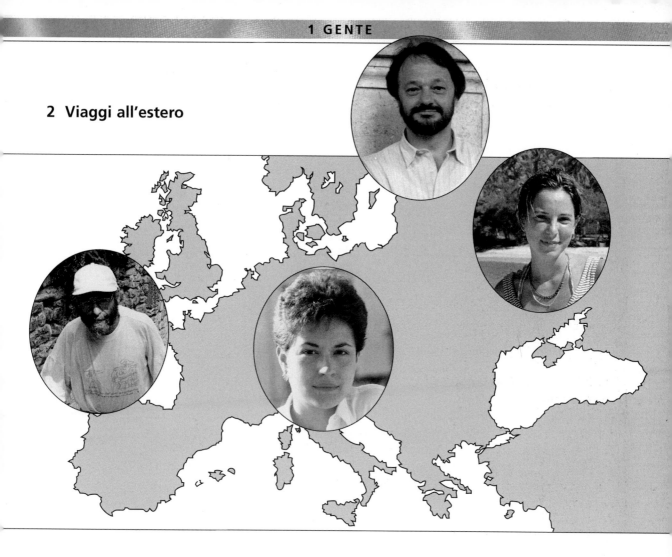

ⓐ 🎧 📝 Ascolti e segua i movimenti di ognuno sulla cartina. Riascolti e prenda appunti:

ⓑ 📝 🎧 Provi a scrivere le domande base delle conversazioni senza riascoltare. Poi controlli con la cassetta.

NOME Paese di origine	RESIDENZA Dove	Da quanto tempo	SOGGIORNI ALL'ESTERO Dove	Per quanto tempo	MOTIVO

3 Da quanto tempo?

a) ✎ **Da o Per?** Completi le frasi a sinistra con le espressioni di tempo adatte:

suono la chitarra	per quindici giorni
studio l'italiano	per sei mesi
abbiamo dormito	per dodici ore
Marco conosce Tania	da circa un anno
non vado in Italia	da secoli!
siamo rimasti a Palermo	da una settimana
sono sposati	dal 1997
piove	dall'estate scorsa
non mi telefona	da venti anni
sei in ritardo: ti aspetto	da tre giorni
il ministro ha parlato	da un'ora!
non ci vediamo	da molto tempo
ha vissuto a Praga	per un'ora
vive a Praga	da anni

Avete notato?

*Si usa il passato prossimo + **per** + tempo se l'azione è finita:*

Ho lavorato in Italia per tre mesi nell'84.

*Si usa il presente + **da** + tempo se l'azione continua ancora:*

Vivo a Manchester da dieci anni.

---

b) ✎ Ora scriva una cosa che lei

- non fa da un po' di tempo.
- fa da molto tempo.
- ha fatto in passato per un po' di tempo e non fa più.

c) ⚥ 💬 Faccia tre domande a un altro studente.

4 Storie personali

ⓐ ✍ **Chi sono?** Cerchi di ricordare e completi A e B. Scriva i nomi e confronti con pagina 9.

ⓑ 📖 Legga la scheda C: chi è questo famoso viaggiatore italiano?

Cristoforo Colombo   *Marco Polo*
        Amerigo Vespucci

A

.... in Inghilterra e vive da sempre a Londra, ma la sua famiglia viene originariamente dalla Russia. .... per quattro mesi in Francia molti anni fa per seguire un corso di francese. L'italiano lo .... solo per tre mesi a Perugia anni fa, ma va spesso in Italia per lavoro, ogni tre o quattro mesi. .... molto sia in Europa che in America. .... anche in Cina.

B

.... un anno e mezzo in Canada e sei mesi negli Stati Uniti. Poi .... in Italia e .... a Pavia. Tre anni dopo .... in Spagna dove .... per tre mesi. Vive in Inghilterra da quattro mesi.

C

È nato a Venezia nel tredicesimo secolo da una famiglia di mercanti. Nel 1260 è andato in Cina per motivi di lavoro insieme a suo padre e suo zio, ed è arrivato in Cina alla corte di Kubla Khan attraversando regioni dove non era mai stato nessun europeo. È entrato nel servizio diplomatico di Kubla Khan ed è stato governatore per tre anni. Nel 1292, sempre insieme al padre e allo zio, è partito dalla Cina per accompagnare una principessa mongola fino in Iran, e da lì è finalmente tornato a Venezia nel 1295 dopo quindici anni di assenza. Catturato dai Genovesi in una battaglia navale, ha scritto in prigione un famoso e importantissimo libro chiamato *Il Milione*. In poco tempo *Il Milione* è diventato l'unica fonte di informazione accurata in Europa sulla vita e la geografia dell'Estremo Oriente.

C ✍ Scriva una scheda per sé con le date dei suoi viaggi più importanti e ne parli con un compagno usando le domande di **1b**.

NB: A dictionary can help you use the right auxiliary verb:

vi = verbo intransitivo (moto/cambiamento)	>	essere
vr = verbo riflessivo	>	essere
vt = verbo transitivo (con oggetto)	>	avere

Per casa

✍ Scriva una scheda sul modello di **C** su un personaggio famoso del suo paese.

Avete notato?

'sono **nato/a**' ... 'ho lavorato'

Al passato prossimo con i verbi di moto e cambiamento ('intransitivi') e con i verbi riflessivi si usa l'ausiliare **essere**:

NB: con **essere** *il participio passato si accorda.*

Lelio è anda**to** a New York per lavoro.

La società italiana è cambia**ta** molto.

Vi siete diverti**ti**?

*Eccezioni: viaggiare, camminare, ballare vogliono **avere**.

Ho viaggiato molto nella mia vita.

Ieri abbiamo camminato per 4 ore.

Con i verbi che possono avere un oggetto ('transitivi') si usa l'ausiliare **avere**:

Hai visitato Ravenna?

Abbiamo invitato amici a cena.

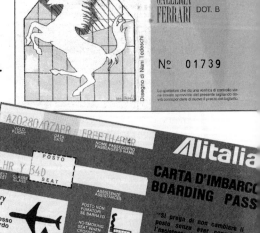

5 Il misterioso viaggio del signor X

a Firenze
in Toscana
in Italia
!

a 🖎 La polizia ricerca un pericoloso falsario e ha trovato una borsa abbandonata. Cosa c'è nella borsa? Faccia la lista dei documenti (usi **c'è/ci sono**).

b 🖎 Dov'è stato? Cosa ha fatto? Ricostruisca i movimenti del signor X: scriva una frase o due per ogni documento.

es:

È partito il 7 aprile in aereo da Londra per Roma.
(*biglietto aereo*)

c ♟ Studiate le foto e indovinate i gusti del signor X. Che cosa **gli interessa**? Che cosa **gli piace**? (quattro cose)

es:

Gli piacciono le gare automobilistiche.

gli/le   piace/piacciono   interessa/interessano   !

13

d **Che tipo è?**

Trovi il contrario di ogni aggettivo come nell'esempio. Scelga gli aggettivi che secondo lei si applicano al signor X.

es:

È un tipo misterioso ... una persona interessante.

pratico/a	spendaccione
interessante	ignorante
normale	dinamico/a
socievole	misterioso/a
colto/a	romantico/a
pigro/a	solitario/a
avaro/a	noioso/a

e E se il signor X fosse una donna?! La descriva.

Per casa

Racconti in 100 parole il misterioso viaggio del signor X. Usi un po' di fantasia.

Dopo averlo scritto, lo registri (*record it*).

Espressioni utili per raccontare:

Secondo me ...	All'inizio ...	Prima ...
Forse ...	In seguito ...	Poi ...
Di sicuro ...	Alla fine ...	Infine ...

6 La vacanza di Raffaele

Ora ascolti Raffaele.

1 Dove è andato?
2 Con chi?
3 Quali città hanno visitato?
4 Che città gli è piaciuta di più e perché?
5 Quanti giorni si fermavano in ogni città?
6 Cosa facevano la mattina?
7 Cosa facevano il pomeriggio?
8 Dove mangiavano?
9 Cosa facevano i ragazzi?
10 E dopo cena?
11 Che tipo è secondo lei Raffaele?

Guardate di nuovo i documenti del signor X. Ci sono cose in comune tra Raffaele e il signor X? È possibile che Raffaele sia il signor X? Perché sì?/Perché no? Parlatene.

Da notare

Raffaele usa l'imperfetto per descrivere al passato.

(vedi pagina 129)

(B) Tenersi in contatto

7 Scusi, c'è un telefono qui vicino?

Studente A: Lei è appena arrivato a Genova e deve fare varie telefonate. Faccia cinque domande diverse a cinque passanti. Cominci così:

'Scusi.../Può dirmi se.../Dove.../Ho bisogno di...'

Lo sapevate?

In Italia c'è un telefono nella maggior parte dei bar, ma oggi praticamente tutti usano il **cellulare** (*mobile phone*).

Ci sono **cabine telefoniche** per strada.

Esistono anche **telefoni a scatti** dove si pagano le unità (scatti) che si usano.

Studente B: Lei fa la parte di quattro passanti. Dica a **Studente A** dove si trovano i vari telefoni.

es:

Vediamo ... Ce n'è uno al primo binario.

Ricordate?

sotto il/l'/lo/la/li/gli/le...

vicino al/all'/allo/alla/ai/agli/alle...

8 Qual è il prefisso?

Studente A: Per lavoro deve fare alcune telefonate in Italia. Chieda a **Studente B** i prefissi che mancano dalla sua lista.

Studente B: pagina 168.

BOLOGNA	
CATANIA	051
FIRENZE	095
MILANO	
NAPOLI	
PERUGIA	081
PISA	
ROMA	050
TORINO	06
VENEZIA	

— Pronto, signorina? Mi dia Milano!

Lo sapevate?

Il prefisso internazionale dell'Italia è **39**.

Dalla Gran Bretagna è **0039** davanti al prefisso della città incluso lo zero.

es: 00 39 0746 per Rieti.

— È lei Francesco Rossi? La vogliono al telefono!

9 Contatti telefonici

a 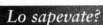 Ascolti e segni (✓) le telefonate di oggi.

TELEFONATA	1	2	3	4	5	6
Un ufficio	☐	☐	☐	☐	☐	☐
Un ospedale	☐	☐	☐	☐	☐	☐
Una ditta	☐	☐	☐	☐	☐	☐
Una casa privata	☐	☐	☐	☐	☐	☐
Un negozio	☐	☐	☐	☐	☐	☐
Un teatro/cinema	☐	☐	☐	☐	☐	☐
Un ristorante	☐	☐	☐	☐	☐	☐
La persona c'è	☐	☐	☐	☐	☐	☐
Non c'è	☐	☐	☐	☐	☐	☐
Bisogna richiamare	☐	☐	☐	☐	☐	☐
Il numero è sbagliato	☐	☐	☐	☐	☐	☐

b 👫 💬 Quante telefonate da fare oggi!

Studente A: Cominci subito usando le espressioni utili sotto.

Studente B: (pagina 168)

Avete notato?

Espressioni utili al telefono

Pronto? Sono Maria/Sono io.
Chi parla?
C'è... per favore? / Vorrei parlare con...
Un attimo, gliela/lo passo.
Scusi, ho sbagliato numero.
Quando rientra...?
Richiamo più tardi.

TELEFONARE
DITTA SARRA
- APPUNTAMENTO
COL DIRETTORE

Ordinare la spesa
Negozio di alimentari
per domattina

Ordinare cena cinese/o
pizza (x 3) per stasera a
domicilio

FISSARE APPUNTAMENTO
PARRUCCHIERE -
LUNEDÌ
TRA LE 12 E LE 16

Chiamare il Teatro Valle - Amleto -
Domani, 2 biglietti
Ora/Prezzo/
Prenotazione telefono?

Chiamare Dr Menicucci
Chiedere visita bambini
- giovedì pomeriggio?

10 Cellulari Olivetti

Gente (people) è sempre femminile singolare.

Se volete essere al passo con i tempi, non dovete perdere tempo con le file.

Con i nuovissimi cellulari Olivetti potete comunicare facilmente con chiunque da dove volete.

MATTINA dalle 8.00 alle 12.00

Certamente non volete – e non dovete – perdere il filo dei vostri affari e delle vostre comunicazioni. Potete invece scegliere il cellulare Olivetti più adatto a voi. Altrimenti, dovete fare la fila!

a 👥 💬 Guardi la foto e il disegno.
Che cosa vede?

es:

Vedo due persone che parlano.
Vedo gente che parla.

Continui con: gente *(fs)* / persone *(fpl)* che ...

b 📖 ✍ Trovi le seguenti parole ed espressioni nella
pubblicità Olivetti e le sottolinei. Poi le traduca con il
dizionario.

fila	perdere tempo
filo	perdere il filo
essere al passo con i tempi	fare la fila

✍ Completi con l'espressione idiomatica giusta:

• Se m'interrompi, ... del discorso.
• Certo, se c' è gente che aspetta è meglio ....
• Alcuni usano il telefono cellulare per essere ....
altri semplicemente per non ....

> stare al telefono, telefonare, fare
> la fila, aspettare, chiacchierare,
> conversare, comunicare, sprecare
> tempo

c 📖 Ci sono diverse parole in italiano che cambiano
significato secondo se sono maschili o femminili.
Trovi sul dizionario i diversi significati e faccia frasi con:

fila/filo	pesca/pesco	colpa/colpo
porta/porto	posta/posto	foglia/foglio
gamba/gambo	stampa/stampo	banca/banco
partita/partito	soffitta/soffitto	moda/modo

d 👥 💬 La pubblicità Olivetti è diretta a *voi* (gruppo).
La riscriva diretta a un amico usando il *tu* e il presente
di *dovere/potere/volere* (vedi pagina 25).

es:

Se **volete** essere al passo coi tempi, non **dovete** perdere tempo
con le file.
Se **vuoi** essere al passo coi tempi, non **devi** perdere tempo con le file.

11 Via della telefonata

Non ha voluto usare lettere, telegrammi o cartoline. Invece di telefoni, cellulari, segreterie telefoniche e fax, per parlare con lui – o con lei – ha usato la fantasia: sui muri di Via Farini. Nessuno ha visto chi è stato a ricoprire i muri della strada di targhe in polistirolo, una ventina in tutto, bianche e grandi come le targhe stradali. Ma in Via Farini i negozianti non hanno dubbi: è stata una *lei* che ha architettato tutto per parlare con un *lui*.

Dalla sua macelleria al numero 61, Emanuele Morganto ha un osservatorio privilegiato, perché le targhe sono tutte tra il 50 e il 60. Secondo Emanuele, è una donna che 'racconta la fine di un amore e chiede a *lui* come questo sia mai potuto succedere'.

Emanuele è uno dei pochi che hanno fatto in tempo a vedere il cartello con la scritta 'Ci siamo lasciati'. Infatti quel cartello Norma Spagnoli lo ha strappato via dal muro vicino alla sua tintoria mercoledì mattina: 'Mi faceva rabbia. Un sacco di gente è entrata preoccupata nel negozio e mi ha chiesto se per caso mi ero lasciata con mio marito'.

Il ragazzo del bar 'Mac' al numero 63 racconta: 'Mercoledì mattina ho pensato che tutti si erano messi d'accordo per uno scherzo: molta gente è entrata e mi ha chiesto notizie di Paola'.

CIAO
COME STAI

IO
BENE E TU

NON C'E'
MALE GRAZIE

SENTI ORA
DEVO ANDARE

ANCH'IO
CI SENTIAMO CIAO

Ride e indica il cartello vicino al bar che dice 'Con Paola va più o meno come prima.' E aggiunge tra un cornetto e un cappuccino: 'Meno male che non conosco nessuna Paola!'

Paola: su di lei il dibattito in via Farini si è acceso. C'è chi dice che Paola è la fidanzata, c'è chi dice che è l'*altra*.

Intanto ai vigili urbani sono arrivate diverse telefonate di protesta. Ma un vigile ha commentato, quasi dispiaciuto: 'A me sembra un bellissimo gesto d'amore e non riesco proprio a capire che fastidio può dare. Magari qualcuno avesse dedicato a me una cosa del genere!'

architettare	*to devise*
strappare via	*to tear off*
mi fa rabbia	*it makes me angry*
se per caso	*if by any chance*
un sacco di	*a lot of*
uno scherzo	*a joke*
meno male che	*luckily*
accendersi	*to flare up*
non riesco a	*I can't quite*
dare fastidio	*to bother*
magari!	*if only!*

a Quali di questi lavori compaiono nella storiella?

commerciante	negoziante
poliziotto	salumaio
vigile urbano	macellaio
barista	padrona di tintoria
fornaio	

b Queste affermazioni sono false. Le corregga come nell'esempio.

es:

Sono comparse dieci targhe nuove in via Farini. (*Falso*)

Sono comparse venti targhe.

1 Le targhe erano di marmo.
2 Le targhe formavano una conversazione amorosa.
3 Secondo i commercianti, è stato un uomo.
4 Emanuele Morganto non ha visto niente.
5 Norma Spagnoli si è lasciata con suo marito.
6 Il ragazzo del bar è innamorato di Paola.
7 La gente non vuole discutere.
8 Nessuno ha protestato.
9 Le targhe danno fastidio a un vigile romantico.

c **Studente A** e **Studente B** a turno. Uno di voi è il giornalista:

Lei che cosa ha visto?

Lei che ne pensa?

- Chieda a Emanuele Morganto che cosa ha visto.
- Chieda a Norma Spagnoli perché ha levato la targa vicino al suo negozio.
- Chieda al ragazzo del Bar 'Mac' chi è Paola.
- Chieda al vigile che ne pensa.

d Copi i verbi al passato prossimo in due colonne: una con *avere* e una con *essere*.

es:

ha ignorato   è entrata

Per casa

Immagini e scriva la storia d'amore dei due ragazzi.

© Info Italia

12 Le regioni

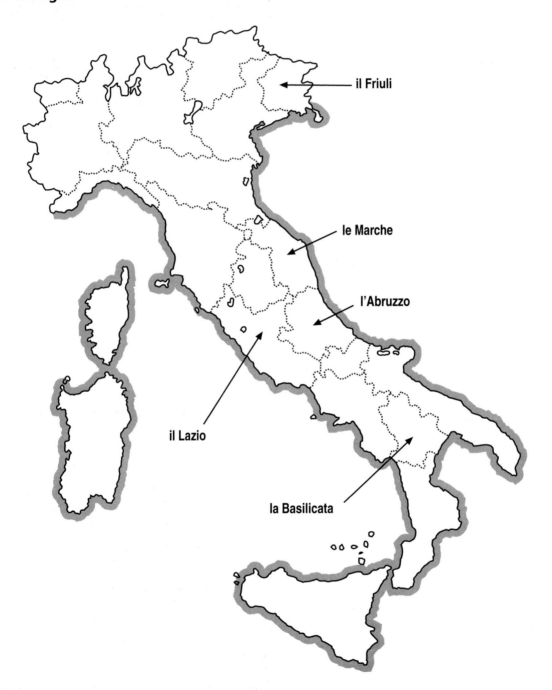

il Friuli

le Marche

l'Abruzzo

il Lazio

la Basilicata

ⓐ ✍ Completi la cartina con i nomi delle regioni con l'articolo e controlli su un atlante.

> *Il nome delle regioni italiane in genere è femminile:*
>
> La Toscana
>
> *Sono maschili:* il Piemonte, il Friuli, il Lazio, l'Abruzzo, il Veneto

ⓑ ♊ Un piccolo quiz.

Che regione è?

Si trova nell'Italia centrale

a nord di Roma

a est della Toscana

a sud dell'Emilia-Romagna

a ovest delle Marche

Risposta: l'Umbria.

Studente A e **Studente B**: continuate il quiz con altre quattro regioni.

> ### Lo sapevate?
>
> L'Italia settentrionale = l'Italia del Nord
>
> L'Italia meridionale = l'Italia del Sud
>
> I meridionali = gli abitanti del Sud
>
> I settentrionali = gli abitanti del Nord

ⓒ ✍ Quante città italiane conosce lei? Dove si trovano? Scriva il nome delle città sulla cartina.

• Lei sa dove si trovano queste città dell'alfabeto telefonico?
Scriva la regione.

Empoli ....

Imola ....

Domodossola ....

Orvieto ....

Savona ....

Udine ....

Ancona ....

Como ....

> ### I FATTI
>
> • L'Italia è divisa in 21 regioni.
>
> • Ogni regione è divisa in province (il territorio delle città più grandi) e le province in comuni (i paesi).
>
> • La regione è amministrata da un consiglio regionale eletto ogni 4 anni.
>
> • La regione ha la responsabilità dell'assistenza sanitaria, della polizia, di parte della scuola, del turismo e dei trasporti.

Grammatica

1 Signore, Signora, Signorina

Ci vuole l'articolo quando si parla di altri:

La signora Tassoni, **Il** signor Moretti

Non ci vuole l'articolo quando ci si rivolge direttamente alla persona:

Buongiorno, signor Forte, come va?

2 Da quanto tempo?

Se l'azione è finita:
passato prossimo + **per** + tempo:

Jean **ha lavorato** a Bologna **per** un anno.
La causa è **andata** avanti **per** quattro mesi.

Se l'azione continua ancora:
presente (o imperfetto) + **da** + tempo:

Studia il francese **da** molto tempo ma non lo parla bene.
Era a Londra **da** una settimana quando ha conosciuto suo marito.

3 Il passato prossimo

Si forma con il presente di **essere** o **avere** + participio passato del verbo.

Si usa il passato prossimo per parlare di eventi e azioni finite nel passato, vicino o lontano:

Siamo andati in Africa dieci anni fa.
Maurizio **ha già preso** i biglietti.
Non **hai ancora messo** l'e-mail?

Per eventi storici e azioni molto lontane nel tempo, specialmente nella narrativa, si usa il passato remoto, v. pagina 197.

4 Ausiliari nel passato prossimo (essere/avere)

Essere: con i verbi di moto e cambiamento (intransitivi) e con i verbi riflessivi.

Con **essere**, il participio passato si accorda sempre con il soggetto:

La società italiana è **cambiata** molto.
Ci siamo divertiti un sacco alla tua festa.

Eccezioni: i verbi **camminare** e **viaggiare** vogliono **avere**:

Domenica **abbiamo camminato** per ore.
Ho viaggiato molto nella mia vita.

Avere: con i verbi che possono avere un oggetto (transitivi):

Hai visitato Ravenna?
Abbiamo visto dei mosaici fantastici.

5 Preposizioni di luogo

> **a** + città/paese/villaggio
> **in** + regione/nazione/continente

a Milano, **in** Lombardia, **in** Italia, **in** Europa

6 Accordo degli aggettivi

Da ricordare che gli aggettivi in -e vanno bene sia per il maschile che per il femminile. Il plurale è sempre -i:

un viaggio interessante > dei viaggi interessanti

una persona interessante > delle persone interessanti

7 Piacere, interessare

Con piacere e interessare il verbo si accorda con la cosa che
piace o interessa e non con la persona:

> A loro piace il golf, a noi piace il calcio.
> Purtroppo non gli interessano le materie scientifiche.
> Mi è piaciuto davvero quel film.
> Gli piace Marisa.

(con enfasi)	(senza enfasi)	(una cosa: singolare)	(più cose: plurale)
a me	mi	piace il teatro	piacciono i gamberi
a te	ti	interessa lo sport	interessano i libri gialli
a lui/lei/	gli/le	piace sciare	
a Gino/a Pia			
a noi	ci	piace cucinare	piacciono i dolci
a voi	vi	interessa il jazz	interessano le lingue
a loro	gli/a loro	piace l'opera	piacciono le feste

Notare che i verbi **servire** e **mancare** hanno la
stessa struttura:

> Ti serve qualcosa? Mi servono alri due
> bicchieri.
> Mi mancano due carte per finire il gioco.

8 Gente

Gente (*people*) è sempre femminile singolare
(v. anche Unità 8):

> Ho conosciuto gente molto simpatica a
> Amalfi.

> Ogni giorno arriva gente nuova.

9 Presente di Potere, Dovere, Volere

posso	devo	voglio
puoi	devi	vuoi
può	deve	vuole
possiamo	dobbiamo	vogliamo
potete	dovete	volete
possono	devono	vogliono

ESPRESSIONI UTILI

Tutti e due (*mpl, m/fpl*), Tutte e due (*fpl*)

Per fare domande

> Chi?
> Che cosa?
> Come?
> Dove?
> Quando?
> Perché?

Al telefono

> Sono...
> Con chi parlo?
> Scusi, ho sbagliato numero
> Richiamo più tardi

Per raccontare con ordine

> All'inizio ... In seguito ...
> Prima ... Poi ...
> Alla fine/Infine ...

- Abitudini di vita al presente e al passato
- Descrizioni di persone
- Somiglianze e differenze
- Opinioni e lamentele
- Perché dire sì, perché dire no

L'elisir di giovinezza:

cinque personaggi rivelano i segreti della loro vitalità.

Prima di leggere vedi pagina 28.

FABRIZIO TERRA
Presentatore, ha condotto innumerevoli quiz per le TV private. Sforna idee nuove in continuazione.

Dieta
Vado matto per pastasciutta, pesce, frutta e pizza. Sono sempre stato goloso di queste cose. Posso dire che la buona tavola non mi ha mai fatto male.

Sport
Fin da ragazzo ho amato fare lunghe camminate a contatto con la natura. Amo moltissimo il mare.

Lavoro
Il lavoro è la mia vita. Ho sempre lavorato con grande passione. Non conosco altri modi di lavorare.

Fumo
Ho smesso di fumare tanti anni fa, e da allora non posso lamentarmi della mia salute.

Alcool
Ho bevuto e bevo pochissimo e mai superalcolici. Mi concedo un quartino di vino bianco secco con il pranzo.

Sonno
Mi piace molto dormire, è una delle mie passioni. Ancora oggi vado a letto verso le dieci, e se il lavoro me lo permette non mi alzo prima delle otto.

Letture
Leggo e ho sempre letto libri di ogni genere. E anche una quantità di giornali per tenermi al corrente per lavoro.

Viaggi
Sì, ho viaggiato e viaggio molto. Mi tiene in forma, e ho dei ricordi stupendi.

MASSIMO CHILANTI
Musicista e direttore d'orchestra, da molti anni a capo di un conservatorio d'avanguardia che gestisce con grande vitalità.

Dieta
Amo la buona cucina. Però non ho mai esagerato, se non a cena con gli amici. Il mio piatto preferito? Il riso.

Sport
Non ne ho mai fatto, neppure da giovane. Né sci né nuoto. L'unica ginnastica che ho sempre fatto è stata quella di camminare.

Lavoro
Tanto, da sempre. Anche dodici ore al giorno prima di un concerto. Ho mille impegni. E nel tempo libero ancora oggi studio moltissimo.

Fumo
Ho fumato per anni senza troppe cautele. Da tre o quattro anni ho smesso, ma la sigaretta mi manca, la cerco ancora.

Alcool
Il buon vino mi è sempre piaciuto, specialmente a tavola con gli amici. Ma non ho mai esagerato.

Sonno
Sette, otto ore per notte, né più né meno, le ho sempre fatte. E prima di un concerto importante mi sdraio per un paio d'ore.

Letture
Tantissime, in ogni momento libero. E se non c'è il tempo per un romanzo, ci sono i giornali, a cui non rinuncio.

Viaggi
Giro moltissimo, ma il bello è che non amo molto viaggiare e non ho mai visitato un paese per turismo.

INDRO MONTANELLI

Il decano dei giornalisti italiani, vivacissimo e inarrestabile, non perde occasione per far sentire la propria voce.

Dieta
Ho sempre mangiato pochissimo, solo per nutrirmi: non per seguire diete particolari, ma perché sfioro addirittura l'anoressia.

Sport
Ho fatto solo un po' di tennis e calcio da giovane. Ma per nulla al mondo rinuncio alla passeggiata quotidiana nel parco.

Lavoro
È la mia droga, ho sempre avuto ritmi mostruosi. Sono capace di stare dieci ore di seguito a scrivere senza fermarmi.

Fumo
Non è mai stato un mio vizio, ma mi concedo una sigaretta ogni tanto, specialmente quando sono nervoso.

Alcool
Praticamente sono astemio, a eccezione di un buon bicchiere di vino rosso con cui ho sempre accompagnato il pranzo.

Sonno
Dormo pochissime ore per notte, soprattutto quando, periodicamente, soffro di depressione. E non faccio pisolini.

Letture
Per mestiere, tonnellate di giornali. Per passione, ho sempre divorato libri di ogni tipo, soprattutto di storia.

Viaggi
Il mio lavoro mi ha portato in giro per mezzo mondo anche per lunghi periodi.

SERGIO TOTANI

Attore. Viene da una famiglia di attori e ha interpretato più di trecento commedie girando i teatri di tutta Italia. Richiestissimo per ruoli comici.

Dieta
Il mio modo di mangiare è sempre stato equilibrato. Faccio eccezione per le spaghettate all'aglio, olio e peperoncino, che mi fanno impazzire.

Sport
Da giovane ho fatto tanto sport: non solo tennis ma anche atletica. Gioco ancora a tennis e vado regolarmente in palestra.

Lavoro
È la mia grande passione, il mio vero elisir di giovinezza. Reciterò sempre, finchè il pubblico mi sosterrà.

Fumo
Fino a pochi anni fa, fumavo anche 60 sigarette al giorno. Poi, per amore della mia famiglia, ho smesso di colpo.

Alcool
Anche se non mi sono mai ubriacato, mi è sempre piaciuto. Mi concedo ogni tanto un bicchiere di champagne.

Sonno
Ho sempre dormito molto, più di otto ore per notte – e quando posso mi faccio un pisolino.

Letture
Ho divorato tanti libri, soprattutto di storia e di teatro umoristico. Dopo il teatro è il mio grande amore.

Viaggi
Da anni e anni vivo con la valigia sempre pronta, a causa del mio lavoro che mi porta ovunque. Non mi lamento.

MIMMO COSTA

Imprenditore. Dirige da trent' anni l'azienda familiare. Fa parte di comitati internazionali dove è considerato un pozzo senza fine di esperienza.

Dieta
Sono sempre stato un'ottima forchetta, e per il pesce alla griglia ho fatto spesso follie. Sulla mia tavola c'è sempre un piatto di cipolle rosse crude a insalata.

Sport
Da giovane un po' di nuoto e un po' di pallone e anche un po' di sci. Ma non sono mai stato un vero appassionato, come tutti.

Lavoro
Sono al lavoro alle sette del mattino, senza eccezioni. Ma ho sempre considerato il lavoro come un divertimento o un gioco d'azzardo.

Fumo
Tantissimo, fino a qualche tempo fa. Ho smesso varie volte, ma ho sempre ricominciato nonostante i divieti dei medici. Dall'anno scorso però, basta.

Alcool
Mi piace, ma con moderazione. A un buon bicchiere non ho mai detto no, specialmente in allegra compagnia.

Sonno
Non dormo più di sei o sette ore in media. Ma dopo pranzo mi piace molto farmi un pisolino in poltrona, magari davanti alla televisione.

Letture
Riviste, giornali e ancora giornali. Qualche biografia ogni tanto.

Viaggi
Viaggio molto per lavoro, ma non sono un viaggiatore avventuroso, mi piacciono troppo i grandi alberghi.

L'elisir di giovinezza

†‡ Prima di leggere pagina 26: lei sa già cosa vogliono dire queste parole? Provi. Poi controlli con il vocabolario a pagina 47.

*Terra	*Chilanti	*Montanelli	*Totani	*Costa
sfornare	gestire	sfiorare	di colpo	un pozzo senza
far male a	smettere	di seguito	recitare	fine
un quartino	mi manca	concedersi	ubriacarsi	un'ottima forchetta
al corrente	sdraiarsi	astemio	pisolino	in media
			lamentarsi	magari

1

ⓐ 📖 ✍ Legga e sottolinei gli indicatori di tempo.

es:

Sono **sempre** stato goloso.
Non ho **mai** esagerato.

> ### *Avete notato?*
>
> **Sempre, mai, spesso, ancora:**
> *Gli avverbi di tempo seguono il verbo.*
> *Nei tempi composti vanno dopo l'ausiliare.*

ⓑ 📖 ✍ Trovi il personaggio che da giovane:

ha fatto atletica.
ha giocato a tennis.
ha fatto grandi camminate.
non ha mai fatto sport.
ha giocato a calcio.

Trovi il personaggio che adesso:

viaggia ancora molto per lavoro.
viaggia ancora molto per passione.
ha smesso di fumare.

Scriva tre cose che lei:

ha sempre fatto fin da bambino.
non ha mai fatto.
fa ancora.

Altri usi di 'da'		
da	giovane	*as a young person*
	ragazzo/a	....
	bambino/a	....
	vecchio/a	....
fin da	bambino/a	*ever since s/he was a child*
fin dal	1986	*as early as ...*

c 👨‍👨‍👦 💬 Chi è?

Gruppi: Ognuno sceglie uno dei
personaggi e lo presenta agli altri senza
dire il nome e cambiando l'ordine della
sequenza (Dieta/Sport/Lavoro, ecc.). Gli
altri devono indovinare chi è. Bisogna
usare tre indicatori di tempo e due
espressioni di gusto *(likes and dislikes)*.

d 📖 ✍ La mia passione.

Trovi altre sei espressioni usate dai
personaggi per indicare un forte interesse.

1 faccio follie per........ *I am crazy*
                              about...
2 ....
3 ....
4 ....
5 ....
6 ....
7 ....

E lei? Faccia sei frasi.

Pronomi personali complemento	
lo, la	*him, her, it (m/f)*
li, le	*them (m/f)*

e ✍ Parlando del fumo Massimo dice:
'La sigaretta mi manca, **la** cerco ancora'..
Dica allo stesso modo:

es
Sergio tiene le valige sempre pronte,
le tiene sempre pronte.

1 Indro non fa mai pisolini…
2 Massimo gestisce bene il
   conservatorio…
3 Mimmo dirige l'azienda da anni…
4 Fabrizio legge libri di ogni genere…
5 Mimmo considera il lavoro un
   divertimento…
6 Fabrizio allo sport preferisce le
   passeggiate…

f 👥 💬 Lavorando con un compagno,
adattate questo modello a un personaggio
famoso che tutti conoscono. Attenzione:
questa volta il personaggio dovrà essere
una donna. Presentatela al resto della
classe, che indovinerà.

g 💬 Discussione: con quale di questi
personaggi è d'accordo? Secondo lei, qual
è l'elisir di giovinezza?

per	**me, te, lui, lei**
secondo	**noi, voi, loro**
sono d'accordo con	

*Per i pronomi personali dopo una
preposizione vedi pagina 191.*

Per casa ✍

Scriva il suo profilo personale seguendo il
modello (l'età non conta).
Non dimentichi le cose per cui lei 'fa follie'.

2 Moretti. Vita privata di un uomo difficile.

a 📖 ✎ Legga e rimetta gli articoli dove necessario.

Tempestata di telefonate dai giornalisti, ... signora Moretti è cortese ma irremovibile: 'Ho ... proibizione assoluta di parlare di lui. Del resto non l'ho mai fatto.' ... zia Olga in questi giorni è drastica: 'Non ho nulla da dire, buongiorno.' ... zio Valentino al telefono non ci viene neppure. Dunque ... più sincero e autobiografico regista italiano non vuole che ... famiglia parli di lui ai giornalisti. Forse perché ha sempre detestato i giornalisti. O forse perché proprio recentemente è arrivato sugli schermi ... suo film più intimo e personale dopo *Caro Diario – Aprile.*

Di Nanni Moretti sappiamo che attualmente vive a Roma (dove ha sempre vissuto) con ... sua compagna Silvia, veneziana. Ma anche ... rapporto con Silvia agli inizi era tenuto segreto, e molte volte

al telefono lei lo chiamava 'Giovanni' invece di Nanni, per non farlo riconoscere dai colleghi di lavoro.

Di famiglia romana, Nanni è nato per caso a Brunico, sulle Alpi, dove ... suoi genitori erano in vacanza, e ha continuato da ragazzo ad andare in vacanza ogni anno con ... suoi a Vietri sul Mare. ... amici raccontano che ogni sera al tramonto partivano per interminabili nuotate. Per Nanni infatti ... sport – nuoto e pallanuoto – è sempre stato importante. Nel film *Palombella rossa* per esempio ... partita è una metafora della vita. 'Era un giocatore vero, aveva tutti ... numeri per emergere,' dice Riccardo, suo compagno nella Nazionale Giovanile di pallanuoto. Ma Nanni ha lasciato ... sport per ... cinema.

ⓑ 📖 🖎 In questo profilo del regista Nanni Moretti trovi:

1 una cosa che la signora Moretti non ha mai fatto.
2 un sentimento che Moretti ha sempre avuto.
3 il posto dove Nanni ha vissuto più a lungo.
4 una cosa che Silvia faceva spesso al telefono.
5 una cosa che Nanni ha sempre fatto da ragazzo.
6 una cosa che lo sport è sempre stato per Nanni.
7 una cosa che Nanni non fa più.
8 una cosa che Nanni fa adesso.

Scriva frasi complete.

Per casa 🖎

Autobiografia. Adatti il brano a sé in prima persona, iniziando dal secondo paragrafo.

Participi passati irregolari		
Completi:		
vivere	>	vissuto
fare	>	fatto
dire	>	....
leggere	>	....
scrivere	>	....

3 Somiglianze e differenze

ⓐ 📖 🖎 Flavia parla dei suoi figli. Questo è il riassunto di quello che dice. Prima di ascoltare provi a completarlo usando un po' di immaginazione.

Stefano e Lorenza sono due ragazzi che hanno varie cose in comune. Anzitutto sono fratello e . . . .(1). . . . . Sono molto . . . .(2). . . . . tutti e due. Sia l'uno che l'altra hanno studiato per andare all'Università. Ma mentre Stefano ha già . . . .(3). . . . . gli studi e ora è laureato, Lorenza si è appena iscritta alla facoltà di . . . .(4). . . . . Tuttavia, ci sono molte differenze tra di loro.

Contrariamente a Stefano, che è . .(5). . e non troppo alto, Lorenza è bruna e molto . . . .(6). . . . . Mentre Stefano, nei lineamenti, somiglia sia al padre che alla . . . .(7). . . . ., Lorenza fisicamente somiglia . . . .(8). . . . . ed è piuttosto appariscente. Anche sul piano psicologico i due ragazzi sono ben diversi. A differenza di Stefano, che è un tipo molto . . . .(9). . . . . ., studioso e attento, Lorenza è allegra, un po' . .(10). . . . . e molto compagnona. Lorenza è un tipo . . . .(11). . . . ., le piace nuotare e sciare; invece Stefano è soprattutto un intellettuale.

ⓑ 🎧 ✏️ Ora ascolti e, se non ha indovinato, corregga.

ⓒ 🎧 ✏️ Copi la scheda e riascolti Flavia. A chi somigliano i figli esattamente?

appariscente	*striking*
gradevole	*pleasant*
affilato/a	*(of features) thin, sharp*
tratti del viso/ lineamenti	*features*
zigomi	*cheek bones*

	Stefano	Lorenza
Che tipo è • fisicamente • di carattere		
A chi somiglia • in che cosa		

ⓓ ✏️ 🎧 Rimetta al posto giusto nel testo gli avverbi a destra, poi controlli con la cassetta.

Stefano è alto, è differente da Lorenza perché è biondo

mentre lei è scura di capelli – Somiglia a suo papà,

quindi ha dei tratti fini – Somiglia anche a me nei tratti

del viso, che invece di essere ... invece di avere zigomi

larghi è ... ha una faccia affilata.

| abbastanza (x3) |
| piuttosto (x3) |
| un po' (x3) |
| molto (x1) |

ⓔ ✏️ **Molto** *(very)* e **molti, molte** *(many)*

Stefano e Lorenza sono *molto* simpatici.

Lorenza ha *molte* amiche, Stefano ha *molti* interessi.

Continui con sei frasi, scegliendo tra *molto*, (avverbio) e *molto/a, molti/e* (aggettivo).

Da notare

L'avverbio va prima dell'aggettivo:
  È davvero simpatica.

ma dopo il verbo:
  Ama veramente il suo lavoro.

4

ⓐ 📖 ✎ Scriva le parole o espressioni usate nel testo **3a** per indicare somiglianze e differenze:

SOMIGLIANZE

hanno varie cose in comune

....

....

....

....

DIFFERENZE

mentre ....

....

....

....

....

ⓑ 👫 💬 Guardate la foto sopra e questi due famosi ritratti e discutete se secondo voi si somigliano, e in che cosa.

5

✍️ 💬 Prenda appunti per parlare delle somiglianze e differenze tra

- Venezia e Londra (o la città dove lei vive)
- il calcio e il rugby
- un cane e un gatto
- la cucina italiana e la cucina inglese

Per casa ✍️

- Descriva due persone della sua famiglia sottolineando le somiglianze e differenze tra di loro.
- Scriva un breve articolo per il giornale del suo quartiere su uno dei quattro argomenti sopra.

Giovani e tendenze

allegri
fantasiosi
stupendi
incontentabili
brillanti
sereni
originali
inconfondibili
accurati
disinvolti
unici
avventurosi
indimenticabili
giovani
felici
liberi

Avete notato?

Che *that, who, whom, which (subject and direct object)*

Cui *whom, which (after a preposition)*

Il film che abbiamo visto ieri
Il film di cui ti ho parlato
Il motivo per cui ti scrivo

Che e cui *sono pronomi relativi. In italiano non si possono omettere.*

Trovi gli aggettivi nella pubblicità che hanno questo significato:

1 che non si può dimenticare ....
2 per cui il rischio è indispensabile ....
3 con cui non si può paragonare nessuno ....
4 a cui vengono idee nuove ....
5 che può agire come vuole e non è legato/a ....
6 che non si accontenta facilmente ....
7 che sta sempre a suo agio e non è mai impacciato/a ....

Lei è d'accordo con la reclame? Cambi gli aggettivi che non le piacciono e ci metta i suoi.

6 📖

Un'indagine sui comportamenti e le aspirazioni
degli italiani dai 15 ai 25 anni

NEI GIOVANI BELLEZZA FA RIMA CON SUCCESSO. GINNASTICA, PROFUMI E UNA VITA AVVENTUROSA

BOLOGNA – Fabio ha diciannove anni, lavora in un' officina al Gallaratese, un quartiere di Milano. La mattina si lava solo gli occhi: tanto non importa a nessuno perché tutto il giorno è coperto di polvere. Alle 17 stacca: andrà in discoteca la sera, motivo per cui si fa una toletta accurata (deodorante, gel per capelli). Mangia naturale e veste casual. La domenica gioca al calcio.

Cinzia, 20 anni, fa la commessa in un supermercato di una cittadina di provincia. Si considera 'disoccupata intellettuale' perché ha frequentato il liceo artistico. La mattina va al lavoro 'in ordine'. Due volte alla settimana va a ballare e dà sfogo alla sua passione per il trucco e i profumi intensi. Tra le sue maggiori aspirazioni, un lavoro indipendente e guadagnare molto. È divoratrice di giornali femminili da cui trae ispirazione per il suo *look*.

Marco, 21 anni, è un universitario di Milano. È il vero *yuppie*. Gioca a baseball e veste classico ma discreto, con indumen-

ti di alta qualità. Dedica molto tempo alla sua toletta. Si considera 'integrato e in linea'. Il suo genere di lettura preferito è la saggistica; ama le mostre e i musei.

Lucia, sedici anni, è studentessa magistrale: porta molti anelli e bracciali, possiede qualche capo di abbigliamento firmato, è figlia di un impiegato e di un'insegnante. Dedica molto tempo agli amici (sono spesso vestiti nello stesso modo), fa spesso sport e anche cure dimagranti. Spende molto per i prodotti di igiene e bellezza.

Sono quattro esempi degli stili di vita di gran parte della popolazione giovane, secondo l'ultima indagine Eurisko, resa nota a Bologna in occasione della Fiera della Cosmetica. L'indagine era stata commissionata pro-

prio per scoprire se nell'universo dei valori giovanili *bellezza* si identifica davvero con *successo*. Il campione ha coinvolto 5000 ragazzi tra i 15 e i 25 anni, dai liceali – i più giovani – agli universitari che formeranno la maggior parte della nuova classe dirigente. Un mondo variegato che ha contribuito in modo fondamentale al recente incremento dei consumi privati (quasi il 4%).

Ragazzi e ragazze si sono buttati con fanatismo nella cultura del corpo (lampade abbronzanti, creme, palestra, eccetera). In questa fase della vita sógnano un'esistenza avventurosa, considerano importante la libertà sessuale e la vita attiva. Colpiscono in particolare le affermazioni degli universitari: amano le novità, si considerano aggressivi, hanno nuove idee. Tutto però gravita in un ambiente selezionato dove anche emozioni e affetti sembrano già 'in carriera'.

Anna Bartolini

polvere	*dust*
studentessa magistrale	*primary school teacher trainee*
indumenti	*clothes*
capi di abbbigliamento firmati	*designer clothes*
dar sfogo a	*give vent to*
saggistica	*essays*
campione	*sample*

ⓐ 📖 🖎 A che cosa si riferiscono questi numeri?

19	= l'età di Fabio
17	=
20	=
2	=
21	=
16	=
4	=
5000	=
15–25	=
4%	=

ⓑ 👥 Parole

Gruppo A: Sottolineate il vocabolario di moda e vestiti. Controllate il significato sul dizionario se necessario.

Gruppo B: Controllate il vocabolario di igiene personale e attività fisica.

Che vuol dire? **Coppie:** fatevi domande sul vocabolario.

Per casa

Scriva 150 parole sulle sue preferenze personali nel vestire. Usi il presente.

> Per quel che mi riguarda …
> Personalmente …
> Dunque …

ⓒ 📖 💬 Vero o falso?

1 Fabio si sporca molto lavorando.
2 Gli piace lavarsi la mattina ma non la sera.
3 Cinzia frequenta il liceo artistico.
4 È disoccupata.
5 Va matta per i profumi.
6 Marco veste sportivo.
7 La passione di Lucia sono i gioielli.
8 È abbastanza conformista nel vestire.
9 Negli ultimi tempi i consumi privati sono aumentati.

ⓓ 🖎 Immaginate le domande che sono state fatte ai ragazzi intervistati. Scrivetene tre per ognuno.

ⓔ 👥 L'intervista

Fabio, Cinzia, Marco e Lucia prendono parte a un'intervista per la TV locale.

Studenti A, B, C, D: siete Fabio, Cinzia, Marco e Lucia. Ognuno si prepara a parlare di sé.

Studenti E, F: Siete gli intervistatori. Usate le domande sopra.

ⓕ 🖎 **Adesso parliamo di noi.** Pensi …

• al capo di vestiario *che* le fa più piacere indossare.
• al tipo di vestiti *di cui* non può assolutamente fare a meno.
• alle persone *che* considera eleganti – a come si vestono.
• alle cose *per cui*, nel campo del *look*, spenderebbe anche molto.

7 Tendenze

Tre donne parlano del modo di vestirsi dei giovani oggi in Italia.

ⓐ 🎧 ✍️ Ascolti e controlli il vocabolario a pagina 47. Decida quale sommario si riferisce a Daniela, quale a Silvia e quale a Maria Vittoria.

I ragazzi si vestono per dimostrare di appartenere alla loro 'tribù' e nelle città è sempre più diffuso il mercato dell'usato. Il look 'stracciato' oggi va molto, ma c'è sempre la moda 'accurata'. I ragazzi italiani sono considerati più attenti degli altri al modo di vestirsi.

A

I ragazzi oggi, di qualsiasi classe sociale siano, amano il look trasandato. Ormai non c'è più tanta differenza tra ragazzi di diversi paesi. La cosa più importante per decidere il loro stile è il gruppo a cui appartengono.

B

I ragazzi in Italia spendono abbastanza per vestirsi e il problema è che spesso le marche che vanno più di moda sono molto care.

C

ⓑ 📖 ✍️ Trovi nei dialoghi di Silvia e Daniela le parole di vestiario con questo significato:

pantaloni di denim . . . .
golf . . . .
giacchetto sportivo . . . .
cappellino sportivo . . . .
cappotto sportivo corto   . . . .
maglia di cotone pesante   . . . .

Per casa o in classe

- Faccia un sondaggio in classe e descriva l'atteggiamento verso il vestire di tre compagni.
- È importante la bellezza? Discuta con un compagno e scriva 150 parole.

8 Cose di tutti i giorni

Trovi 15 verbi riflessivi che vadano bene con queste figure.

Dica una frase o al presente o al passato su ogni figura senza dire il numero. Gli altri indovinano.

Per casa

Scriva una piccola storia (100 parole) collegando le figure e usando i riflessivi al passato prossimo.

9 Opinioni

ⓐ ✍️ 🎧 Scriva tre cose di cui di solito si lamentano i genitori.

Ascolti Paolo e Carmela. Scriva tre cose di cui si lamentano loro. Ci sono differenze?

Riascolti bene e segni solo le espressioni che sente.

però	a mio avviso
ma va!	infatti
per carità	non mi piace per niente
come mai?	senti
se fossi in te	è così
se sapessi	effettivamente
ma è vero!	mentre invece
secondo me	al contrario
sai	può darsi
che ne pensi	penso che tu abbia torto
pensi che siano	capisco che
non se ne parla	non sono d'accordo
per quel che mi riguarda	penso che tu abbia ragione

Sottolinei quattro espressioni usate per introdurre la propria opinione.

ⓑ 🎧 Riascolti un' altra volta:

* Che problema ha Paolo?

* Cosa fa suo figlio invece di studiare?

* Perché la signora Rossi ha problemi con la figlia?

* Perché non si preoccupa del figlio?

* Che ne pensa Carmela?

* Che cosa dice Carmela quando non crede a quello che dice Paolo?

ⓒ Chiudete il libro e cercate di ricordare. Rifate la conversazione nel modo più vivace possibile. Usate le espressioni di **a**.

Per esprimere opinioni:

> Secondo me
> A mio parere
> Per quel che mi riguarda

Quando si è d'accordo:

> È così, è proprio vero.
> Sono d'accordo.
> Infatti ... in effetti.
> Penso che tu **abbia** ragione.
> Credo che **sia** vero.

*Dopo **penso che, credo che** ci vuole il congiuntivo, vedi pagina 46.*

d Adattate il dialogo fin dove possibile a un problema diverso. Fate poi queste conversazioni in classe con i compagni.

- i genitori che si lamentano dei figli
- il capufficio che non è mai contento
- il computer che si rompe in continuazione
- il cane/il gatto di casa che ne combina di tutti i colori

Dovrete usare almeno sei delle espressioni di Paolo e Carmela. Il testo si può vedere a pagina 169.

Ⓒ Vegetariani sì o no?

10 Moda, mania o scelta intelligente?

ⓐ 👫 Discutete brevemente.

Sono assolutamente d'accordo

Non sono affatto d'accordo

Non so – Forse

- I vegetariani non assumono abbastanza proteine.
- In Italia non sanno nemmeno che cosa vuol dire la parola 'vegetariano'.
- Per i vegetariani la vita è difficile, specialmente in viaggio.
- Gli sportivi e i ragazzi devono mangiare bistecche per produrre l'energia di cui hanno bisogno.
- Rifiutare la carne vuol dire avere paura di sé.

ⓑ 📖 ✍ Le risposte si trovano nell'articolo qui a fianco. Lo legga velocemente e accanto a ogni affermazione scriva o **Vero** o **Falso**.

ⓒ ✍ Di due brevi paragrafi è stato stampato solo il titolo. Provate a scriverli voi (massimo 30 parole ognuno). Controllate con pagina 170.

Vegetariani
Moda, mania o scelta intelligente?

Chi non ha pensato almeno una volta, dopo l'allarme della 'mucca pazza', di rinunciare per sempre alla carne? In Italia lo fanno 1 milione e 100 mila persone. L' identikit del vegetariano tipo? 'Donna, settentrionale, sui 25 anni,' dice il presidente dell'AVI, l'associazione vegetariani italiana che conta 5000 associati. 'Per tutti – aggiunge – si tratta di una scelta etica: uccidere un animale per cibarsene è inaccettabile.'

Perché dire sì

Meno grassi saturi
Rinunciare alla carne significa abbassare i rischi di ipertensione e infarto. Si trovano abbastanza proteine nei latticini, nei legumi e nelle uova.

Più vitamine
Le vitamine A, C e E (frutta e verdura) aiutano a prevenire malattie come il diabete.

Più energia
Legumi e vegetali vengono assorbiti più lentamente e la carica di energia dura più a lungo.

Più sazietà
Perché legumi e vegetali hanno un volume maggiore.

Perché dire no

Meno proteine animali
La carenza di proteine può minare il sistema immunitario.

Meno minerali
Ferro e calcio, elementi indispensabili, si prendono soprattutto da carne e pesce. La carenza di ferro può causare anemie.

Meno grassi polinsaturi
Si trovano nei pesci e sono utili per la circolazione del sangue. Privandosene, si rischiano emboli e infarti.

Meno vitamina D e B12
Si trovano nella carne, nel pesce e nei latticini. Essenziali per la crescita.

Se la bistecca spaventa

Chi si astiene dalla carne può anche avere difficoltà a scaricare la propria aggressività. È questo il parere di Martino Ragusa, psichiatra: 'Mangiare carne rossa ha un forte valore simbolico: significa entrare in contatto con la nostra parte selvaggia.'

In viaggio, in vacanza

Tutte le maggiori compagnie aeree, compresa l'Alitalia, offrono menu vegetariani su richiesta. Il servizio è gratuito. Basta avvertire all'atto della prenotazione. In treno, viene offerto sui grandi rapidi come il Pendolino. Costo: sulle 35.000 lire.

Anche le scarpe sono animaliste

I tuoi ospiti non mangiano carne? Ecco un menu tutto italiano!

Seguaci di oggi

1 La scrittrice Dacia Maraini. 2 Renato Dulbecco, Nobel per la medicina.
3 Il cantautore Jovanotti.
4 La cantante Tina Turner.
5 Il regista Gabriele Salvatores. 6 La top model Claudia Schiffer.

Seguaci di ieri

1 Il commediografo irlandese George Bernard Shaw (1856–1950). 2 Il compositore tedesco Richard Wagner (1813–1883). 3 Il fisico tedesco, premio Nobel, Albert Einstein (1879–1955).

d 👨👨 **A favore o contro?**

Due squadre, una **a favore** (giovani) e una **contro** (famiglie). Presentate chiaramente il vostro punto di vista basandovi sulle informazioni contenute nell'articolo.

Potete anche usare la lettera di Dacia Maraini (a pagina 45). Vince la squadra che presenta più fatti e esempi.

Per discutere con i fatti alla mano:

Fate un'affermazione per volta:

> Sono a favore del/della …
> Sono contro il/la …

e sostenetela con l'informazione adatta:

> Infatti …
> Per esempio …

---

11 Che ne pensa Maria Vittoria?

a 🎧 Ascolti e scelga le risposte migliori:

a) Per Maria Vittoria il vegetarianismo in Italia

> è favorito da un'antica tradizione
> è un vero movimento

b) A suo parere i vegetariani in Italia sono spinti

> da motivi idealistici
> da motivi pratici, di dieta

c) L'olio d'oliva extravergine

> è essenziale
> è usato esclusivamente dai giovani

d) Secondo molti la cucina italiana

> è poco divertente
> è la madre della cucina vegetariana

b 🎧 Riascolti e decida se Maria Vittoria è d'accordo con l'autore dell'articolo.

12 Che ne pensa Dacia Maraini?

 Risponda a questa lettera di Dacia Maraini al *Corriere della Sera:*

Sono d'accordo con Vivian Lamarque (lettera del 17 dicembre.) Se uno ha sentito una sola volta nella sua vita le grida che manda un maiale quando viene ucciso; se uno ha visto la bestia scappare per poi essere ripresa mentre si divincola e urla; come può mangiare salame e salsicce senza sentirsi complice di quell'assassinio? È l'immaginazione che ci avvicina agli animali, alle loro sofferenze che non sono minori delle nostre.

Per casa

Moda, mania o scelta intelligente? Scriva una lettera al giornale prendendo la posizione già sostenuta in gruppo (200 parole).

Usi la struttura

penso che sia/siano …
credo che abbia/abbiano …

Grammatica

1 Altri usi di 'da'

da giovane, **da** bambino, **da** grande
as a young man, as a child, as an adult

fin da ragazzo: *since I was a boy*

2 Avverbi

L'avverbio di tempo va normalmente tra l'ausiliare e il participio passato nei tempi composti:

L'ho **sempre** amata.
Non ci sono **mai** stato.

L'avverbio di quantità va di solito prima dell'aggettivo:

È **molto** simpatica.
ma dopo il verbo:
Cammina **poco**.

Gli avverbi di modo si formano in genere dal femminile dell'aggettivo o aggettivo in -**e** + -**mente**:

solo	>	solamente
continuo	>	continuamente
veloce	>	velocemente

(Attenzione agli aggettivi in -**le** e -**re**: **normalmente, regolarmente, facilmente**)

3 Pronomi relativi

che *(that/who/whom/which)*: è sempre soggetto o oggetto diretto.

cui *(whom/which)*: va sempre dopo una preposizione:

la persona **che** è appena entrata
una città **che** conosciamo bene
l'uomo **di cui** si parla
la rivista **da cui** prende ispirazione
il motivo **per cui** esce la sera

4 Presente indicativo (Revisione)

Verbi regolari

parlare	temere	dormire	finire
parlo	temo	dormo	finisco
parli	temi	dormi	finisci
parla	teme	dorme	finisce
parliamo	temiamo	dormiamo	finiamo
parlate	temete	dormite	finite
parlano	temono	dormono	finiscono

I verbi irregolari in **-are** sono pochi:

andare	dare	fare	stare
vado	do	faccio	sto
vai	dai	fai	stai
va	dà	fa	sta
andiamo	diamo	facciamo	stiamo
andate	date	fate	state
vanno	danno	fanno	stanno

5 Verbi riflessivi

In italiano i verbi riflessivi si usano molto. Molti verbi intransitivi inglesi si rendono con un riflessivo in italiano:

It moves!   Si muove!
Do you get up early?   Ti svegli presto?

Notate i pronomi: **mi, ti, si, ci, vi, si:**

	-ARSI	-ERSI	-IRSI
(io)	**mi** annoio	**mi** siedo	**mi** diverto
(tu)	**ti** annoi	**ti** siedi	**ti** diverti
(lui, lei)	**si** annoia	**si** siede	**si** diverte
(noi)	**ci** annoiamo	**ci** sediamo	**ci** divertiamo
(voi)	**vi** annoiate	**vi** sedete	**vi** divertite
(loro)	**si** annoiano	**si** siedono	**si** divertono

Nei tempi composti, i riflessivi vogliono sempre l'ausiliare **essere**:

Come mai ti **sei** vestito così elegante?
Ieri i ragazzi si **sono** molto divertiti.

6 Per parlare di somiglianze e differenze:

hanno varie cose in comune	mentre
sia l'uno/a che l'altro/a	invece
entrambi/tutti e due	a differenza di

7 Pensare, credere e il congiuntivo

Dopo **penso che, credo che, immagino che...** si usa il congiuntivo.

Penso **che sia** vero.
Credo **che tu** abbia ragione.
Immagino **che abbia** fame.

Ecco il congiuntivo presente di **essere** e **avere**:

(io)	sia	abbia
(tu)	sia	abbia
(lui/lei)	sia	abbia
(noi)	siamo	abbiamo
(voi)	siate	abbiate
(loro)	siano	abbiano

Vocabolario

Focus (pagine 26–27)

Terra

sfornare	*to churn out*
far male a	*to harm*
un quartino	*a glass or two*
al corrente	*well informed*

Chilanti

gestire	*to manage*
smettere	*to give up*
mi manca	*I miss it*
sdraiarsi	*to lie down*

Montanelli

sfiorare	*to touch, be on the edge of*
di seguito	*one after another*
concedersi qc	*to allow oneself*
astemio	*teetotaller*

Totani

di colpo	*suddenly*
recitare	*to act, perform*
ubriacarsi	*to get drunk*
pisolino	*nap*
lamentarsi	*to complain*

Costa

un pozzo senza fine	*a mine of (fig.)*
un ottima forchetta	*a good eater*
in media	*on average*
magari	*even*

Tendenze 🎧 (pagina 38)

stracci	*rags*
consapevoli	*aware*
non a caso	*not by chance*
visto che	*since*
appartenenza	*belonging*
rispetto a	*compared to*

trasandato	*shabby*
cavallo	*crotch*
felpa	*sweatshirt*
firma	*designer logo*
prendere piede	*to catch up*
benestante	*well off*
indossare	*to wear*
divisa	*uniform*

ESPRESSIONI UTILI

Per parlare di somiglianze e differenze

mentre...invece
l'uno/a...l'altro/a...

Per introdurre la propria opinione

secondo me
a mio parere
per quel che mi riguarda
personalmente

Per esprimere accordo e disaccordo

sono d'accordo con te
è proprio così
è proprio vero
non sono affatto d'accordo

Espressioni idiomatiche:

faccio follie per
ho la passione di... del...
vado matto per...
sono un'ottima forchetta
per nulla al mondo rinuncio a...
ho mille impegni

Il grande rientro

- Richieste di cortesia
- Ottenere informazioni sul traffico
- Richiedere riparazioni
- Esprimere stati fisici (caldo, freddo, ecc.)
- Suggerimenti e indicazioni di percorso

SCATTA IL GRANDE ESODO TRA NUVOLE E INGORGHI

Ferie d'agosto, in viaggio 18 milioni di italiani. Chiudono le grandi fabbriche e la metà degli esercizi commerciali. Ancora Tir in fila indiana sulla A1.

ⓐ 👫 Fatevi le domande:

- In che stagione siamo?
- Perché ci sono tante macchine?
- Succede solo in Italia?
- Lei si è mai trovato/a in una situazione simile?

Guardate la foto e segnate (✓) nel riquadro solo le cose che vedete.

ⓑ 💬 Scelga due aggettivi per parlare del traffico nella foto e la descriva a un compagno.

normale	scorrevole	intenso
ordinato	caotico	lento

furgone, automobilista, sorpasso, pullman, coda, ora di punta, ingorgo, camion, casello dell'autostrada, incidente, semaforo, motocicletta, corsia, roulotte, polizia stradale, multa, macchina, distributore di benzina, TIR, ponte pedonale

TIR: grande camion per il trasporto internazionale di merci

Sulle strade

1 Appelli ai turisti

ⓐ 🎧 ✍ Lei sta viaggiando in macchina e sente alla radio questi appelli. Prenda nota.

Automobilista	Tipo di macchina	Targa e città	Dove si trovano	Richiesta
Il signor Erba				
Gina Rovato				
Edit Mara-Pilot				
Giacomo Schillizzi				

Da notare

su una Fiat Regata	**in** un campeggio
nei dintorni di Pola	**vicino (a)** Trieste

Per una richiesta formale:

è pregato/a sono pregati	**di**	mettersi in contatto telefonare a chiamare

ⓑ 💬 Aiuti la Polizia Stradale a registrare (*record*) degli appelli simili per turisti italiani in Francia, usando le informazioni già pronte:

es:

La signora Giovanna Verdi che viaggia su una Fiat Ritmo grigia targata NA 2788912 e che in questo momento si trova in un campeggio vicino Nizza, è pregata di telefonare al più presto allo 0039 081 36 91 015.

NB: I nomi delle macchine sono femminili: una Fiat, un' Alfa Romeo.

Guido Marra
Fiat Uno
blu
MI 56905 L
La Costa Azzurra
Nizza
contattare 011.56 89 952
entro domani

Ninetta e Anna Franciosi
Lancia Delta
nera
TO 31791K
Carcassonne
tel. Clinica Margherita,
Torino, 02.648311
immediatamente

Enzo e Antonia Coveri
500/Nissan Micra
argento
GE 558190
campeggio Provenza
dare notizie
tel. 013. 213455
appena possibile

Massimo Spada
Ford Escort
rossa
ROMA 125703
Borgogna
Dijon
tel. Signori Maderno,
06.378890
urgente

ⓒ ✍ Scriva due avvisi ognuno con richieste formali per questi gruppi:

- passeggeri dell'Alitalia (borse sotto sedili – cinture di sicurezza)
- clienti di un supermercato (cinque minuti – non carrelli vicino uscita)
- nuovi studenti di un corso di lingua (moduli per l'iscrizione – aula nuova n.5A)

I verbi sono (non nell'ordine): completare, allacciare, mettere, affrettarsi, avviarsi, lasciare.

2 Radio AUT notizie

Prima di ascoltare:

a 📖 Studi la cartina e trovi le autostrade A1, A4 e A14: in che parte d'Italia si trovano e quali città collegano?

in direzione Nord/Sud
sulle strade
sull'autostrada
sull'A1
su tutta la A14

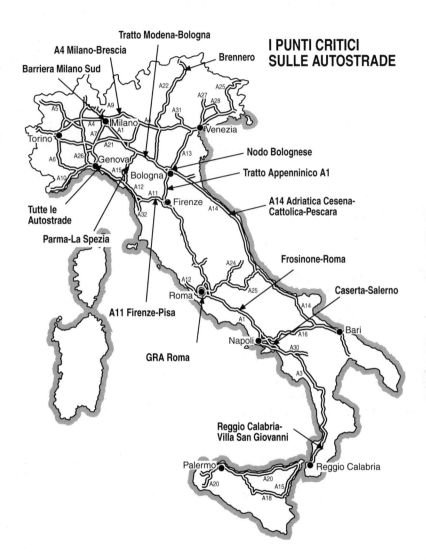

I PUNTI CRITICI SULLE AUTOSTRADE

b ✎ Completi le definizioni:

1 le grandi strade fuori città si chiamano   intasate
2 le strade bloccate dal traffico sono   contro-esodo
3 le macchine si chiamano anche   incidenti
4 molti automobilisti sono vittime di   ambulanza
5 le auto restano bloccate quando c'è un   auto
6 la macchina che trasporta i feriti si chiama   casello
7 il pedaggio per l'autostrada si paga al   autostrade
8 il rientro dalle vacanze si chiama anche   colonne
9 molte macchine in fila formano code o   ingorgo

3 Radio Aut Notizie

a 🎧 Ascolti e metta in ordine i titoli dei giornali (1-7).

esodo: la fuga dalle città per le vacanze a fine luglio
contro-esodo: il ritorno in città a fine agosto

A **TRE MORTI SULLE STRADE**

B **CIRCOLAZIONE LENTA E CODE NEL NORD**

C **Niente contro-esodo per ora**

D *Nasce un bambino sull'autostrada*

E **Traffico lento alle frontiere**

F **MENO INCIDENTI**

G *SABATO IL VERO RIENTRO*

b 🎧 ✍ Riascolti e trasformi i titoli in frasi:

es:

Tre morti sulle strade
> Tre persone sono morte in incidenti stradali.

c 👥 💬

Studente A: Dica a Studente B quali sono le buone notizie e dove.

Studente B: Dica a Studente A quali sono le cattive notizie e dove.

4 Consigli di viaggio

ⓐ 👫 🎧 💬 Riascolti bene Radio Aut
e dia un consiglio:

- al signor Poli che vuole andare a
  Mugello a vedere il Gran Premio di
  motociclismo

- alla signora Martino che deve rientrare a
  Venezia passando per Trieste

- alla signorina Viotti che è diretta in
  Francia

- al signor Bruscati che è diretto a
  Palermo in Sicilia

Usi l'imperativo con il *lei*.

es:

Non prenda l'A5 oggi: ci sono problemi.

o:

Vada tranquillo … ecc.

Da notare

L'imperativo con il **lei** *è preso in prestito dal congiuntivo presente:*

-ARE
rientri (rientrare)

-ERE
prenda (prendere)

-IRE
parta (partire)
finisca (finire: **-isco** vb)
venga (venire)

(vedi pagina 67)

Per casa ✎
Ascolti un bollettino del traffico nella sua
zona e scriva un breve notiziario nello stesso
modo.

5 Istruzioni

ⓐ 📖 ✎ Le istruzioni per le attività di
Contatti 1 e *2* sono date normalmente con
il *lei*.

Ne trovi dieci e faccia una frase per
ognuna.

es:

Ascolti > Ascolti bene il bollettino del traffico.

Lo sapevate?

senta
scusi
guardi
veda
dica
prego, si accomodi

*Queste comunissime espressioni sono tutti
imperativi con il* **lei**.

b 👫 💬 In viaggio per l'Italia, vi trovate di fronte a questi cartelli. A turno, ditevi di fare o di non fare queste cose usando il *lei*.

6 Qualche buona notizia

Come tutti sanno, per le buone notizie i giornali di solito non hanno spazio. Ma chi non è al corrente di qualche iniziativa, chi non è stato testimone di qualche fatto positivo che gli piacerebbe vedere pubblicato sul giornale?

Dunque, da mercoledì sul *Corriere della Sera* ci sarà un angolo speciale per le buone notizie. Tutti i giorni pubblicheremo – sceglendola tra quelle mandate dai lettori e quelle segnalate dalle agenzie di stampa - la notizia più interessante. È un gesto di ottimismo, un segnale di fiducia nella capacità del pubblico di non lasciarsi sfuggire il lato positivo della vita.

Se avete qualche buona notizia, segnalatela al *Corriere della Sera* 'Buone Notizie', Casella Postale 10597 –20124 Milano Isola.

E non dimenticate il vostro nome, indirizzo, numero di telefono: infatti prenderemo in considerazione solo le notizie firmate.

a 📖 ✎ Trovi queste informazioni nell'articolo:

- Che cosa propone il giornale ai lettori esattamente
- Perché
- Inizio del servizio
- Quante volte alla settimana
- Chi manderà le notizie
- Criterio di scelta
- Cose da ricordare

essere al corrente (di)	*to have heard of*
essere testimone (di)	*to witness*
lasciarsi sfuggire	*to miss*
la stampa	*the press*
NB: **sul** giornale	*in the newspaper*

Avete notato?

Qualche fatto positivo
Qualche buona notizia

Qualche (*some*) è **sempre** singolare

ⓑ ✍ Riassuma l'articolo in non più di 50 parole.

Per casa ✍
Ascolti la radio e scriva una buona notizia da mandare al *Corriere*.

7 In una libreria specializzata

Lei sente questo dialogo:

– Desidera?
– Vorrei vedere qualche romanzo italiano, per favore.
– Prego, si accomodi. Eccoli qua.

ⓐ 👫 📖 Guardate la pubblicità e continuate con gli altri oggetti nella libreria scambiandovi i ruoli.

ⓑ ✍ Usi *dei, degli, delle* e il plurale del nome al posto di *qualche* come nell'esempio:

es:

C'è **qualche** problema sulla A1 oggi.
Ci sono **dei** problemi sulla A1.

1 Ho qualche amico a Perugia.
2 Devo fare qualche telefonata.
3 È venuto Antonio. Ha qualche libro da darti.
4 È venuta Marta. Ha qualcosa da dirti.

MANCANO
5
SETTIMANE ALLE
VACANZE
SVEGLIATI DAL LETARGO!

Passa alla libreria Viaggi & Vacanze.
Troverai tutto ciò che ti serve:

guide turistiche - carte geografiche
atlanti stradali - manuali
guide ad alberghi e campeggi
itinerari per passeggiate
a piedi, in bicicletta e a cavallo
carte nautiche
di tutto il mondo
Italia compresa

**VIAGGI &
VACANZE
LIBRERIA**

LIBRERIA
SPECIALIZZATA
NEL
TURISMO

BUONO
VIAGGI&VACANZE

Consegnando questo
buono in libreria
avrai diritto
alla tessera sconto
e alla guida
Capital di Roma
Fino al 15 luglio

VIA G. NEGRI, 8
20123 MILANO
TEL. 02-866936
GALLERIA
MERAVIGLI
MM.1 CORDUSIO

eccolo	eccola	*here it is*
eccoli	eccole	*here they are*

8 La macchina: la nuova 500

Si viaggia bene anche in quattro persone, un cane e due valigie.
....

Si parcheggia facilmente!
....

Ha stile!
....

Va forte, arriva fino a 125 Km l'ora!
....

l' ultimo modello!
....

Ha l'aria condizionata
....

Non si rompe mai!!
....

Consuma pochissimo!
....

Ha le cinture di sicurezza davanti e dietro
....

**VELOCE ECONOMICA ELEGANTE CONFORTEVOLE SPAZIOSA
COMODA SICURA MODERNA RESISTENTE MANEGGEVOLE**

a Scelga un aggettivo e lo scriva sotto ogni commento.

b Lei ha appena comprato una nuova 500 ed è entusiasta della sua macchina.
La descriva a un amico.

c Che tipo di macchina è?
Unisca con una freccia.

Ferrari   una carretta

Lamborghini   da corsa

Cinquecento   di lusso

Vecchia macchina   utilitaria

9 Alla stazione di servizio

La ruota	Il parabrezza	Il faro	La batteria	I freni	La benzina	L'olio
È................	....	....	....	....	....	....

a 🎧 ✍ Accidenti! Si è rotta la macchina.

Ascolti e scriva la parola giusta sotto la figura per indicare il guasto.

non funziona	*it's not working*
rotto/a	*broken*
a terra	*flat*
guasto/a	*not working*
scarico	*flat*
riparare	*to repair*

b 👥 ✍ Con un compagno scriva un dialogo per ogni figura.

es:

a. Buongiorno. Dica?

b. Buongiorno. Senta, la ruota sinistra davanti è a terra. Potrebbe aiutarmi a cambiarla?

a. Sì, signora. Gliela cambio subito.

c 🎧 ✍ Riascolti e controlli. Legga i dialoghi col compagno.

Avete notato?

Per una richiesta formale:
Scusi…, potrebbe/le dispiacerebbe + *infinito.*

d 💬 Con un compagno, a turno, faccia tre richieste:

- a un cameriere al ristorante
  (vuole acqua – pane – il conto – il menu)
- a un compagno in classe
  (foglio di carta – penna – finestra aperta)
- a una persona per strada
  (l'ora – un telefono – Piazza Navona)

10 Se la macchina si ferma, l'ACI salva le vacanze

Siete in viaggio e la macchina si rompe? La vostra vacanza non è rovinata: potete chiedere soccorso al servizio di pronto intervento dell'ACI. Ecco come si fa …
In autostrada si può usare il telefono installato sulle colonnine ACI, collocate in genere ogni due chilometri lungo l'autostrada, oppure si può usare un qualunque telefono, chiamando il numero 116. Se si possiede il cellulare, bisogna usare il prefisso 0334, seguito dal 116.

La richiesta di soccorso è gratuita per i soci e dà diritto a una veloce riparazione sulla strada o, nei casi di guasti più seri, al trasporto fino al meccanico più vicino.

Se il meccanico è oltre 15 chilometri, il costo è di L1300 al chilometro. Se si vuole lasciare la macchina in un parcheggio custodito, la spesa è di 2000 lire l'ora.

Questi servizi possono essere richiesti da tutti, ma per i non soci i costi sono più salati. Per esempio, per la semplice richiesta di soccorso in autostrada la spesa è di 168.000.

ACI: Automobil Club Italiano
Costo annuale tessera ACI: L.110.000

ⓐ 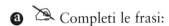 Completi le frasi:

- Diventare soci costa ....
- Sulle autostrade ci sono telefoni ACI ....
- Per chiamare l'ACI con un telefono normale ....
- Per chiamare l'ACI con un cellulare ....
- I vantaggi per i soci ....
- Per i non soci ....

ⓑ (G) C'è un'organizzazione simile al suo paese? Che servizi offre? Quanto costa diventare soci? Commenti con i compagni.

socio	*member*
tessera	*membership card*

11 Un guasto sull'autostrada

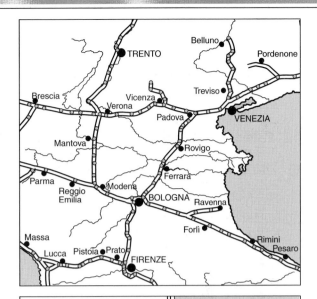

 Una telefonata all'ACI.

Studente A: Lei è un meccanico dell'ACI. Un automobilista con un guasto alla macchina telefona dall'autostrada. Faccia le domande e completi la scheda. Prima prepari una lista delle domande.

Studente B: Lei è l'automobilista con il guasto. Vada a pagina 171.

(Alfabeto telefonico: v. Contatti 1, pagina 63)

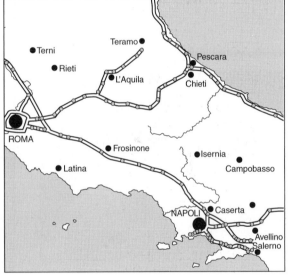

Cominci così:

– 'Pronto, ACI, buongiorno. Il suo nome per favore … non sento bene … può ripetere per favore? Come si scrive? ecc …'

Nome Cognome	Numero di targa	Tipo di macchina	Colore	Autostrada	Direzione	Problema

Studente A: Quando avete finito scambiatevi i ruoli.

Che afa!

12 Caldo, sete, fame

a ✍ Cos'ha?

Scriva la riposta per ogni figura.

1 Perché mescola la polenta?
2 Perché è vestita pesante?
3 Perché tiene i piedi nell'acqua?
4 Perché indica l'orologio?
5 Perché beve alla fontana?
6 Perché si è addormentata sulla sedia?

Che cos'hai? Che cos'ha? Cosa c'è?
What's the matter?

	SETE
ho	FREDDO
hai	CALDO
ha	SONNO
abbiamo	PAURA
avete	FRETTA
hanno	FAME

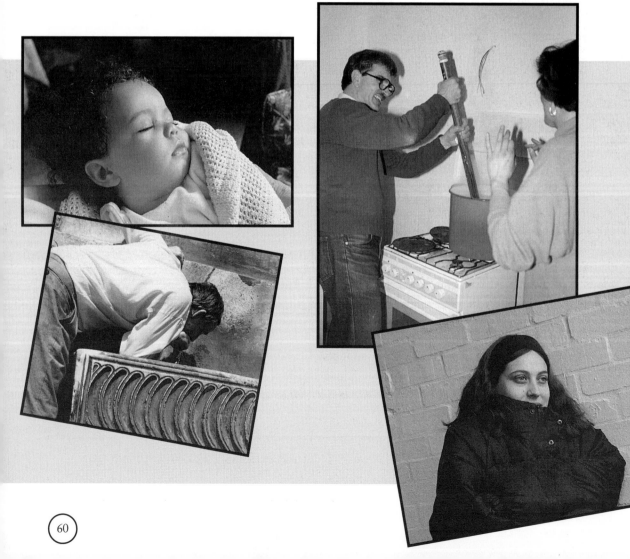

ⓑ 👫👤 Chieda agli altri. Scopra chi ha davvero fame, freddo o fretta nel suo gruppo in questo momento.

ⓒ 🎧 Ascolti senza scrivere il racconto di Gianni.

✍ Cerchi di ricordare le espressioni enfatiche e completi:

una fame.........   cane
una sete.........   bestiale
una fretta.........   da lupo
una paura.........   tremendo/a
un sonno.........   allucinante
un freddo.........   da morire
un caldo.........   spaventosa

Riascolti e controlli

ⓓ 💬 Uno studente mima, gli altri suggeriscono un rimedio (imperativo con il *tu*):

es:

Se hai fame, **mangia** un panino.
Se hai freddo, **mettiti** un maglione.

Da notare

L'imperativo (*tu, voi*):

PARLARE	SCRIVERE	DORMIRE	SVEGLIARSI
parla	scrivi	dormi	svegliati
parlate	scrivete	dormite	svegliatevi

Negativo con il tu: **non** + *infinito:*

Non parlare, non scrivere, non dormire, non svegliarti.

Attenzione: il pronome si attacca alla fine dell'imperativo:

Svegliati, prenditi un caffè.

13 L'Afa

afa: s.f. Aria calda, soffocante

ⓐ Conversazione. A tutti piace l'estate: quali sono secondo voi i vantaggi del caldo? E gli svantaggi? (tre cose)

Confrontate con l'articolo.

ⓑ Verbi e tempi. Nell'articolo trovi un esempio di:

Presente – Presente Riflessivo – Passato Prossimo con *essere* – Passato Prossimo con *avere* – Forma Passiva – Infinito – Futuro

Pronto soccorso in tilt, fabbrica ferma per afa

Decine di disidratazioni. A Carini stop a un impianto.

Dalle cinque di ieri mattina è arrivato lo scirocco, ha portato la temperatura a 45 gradi e ha disintegrato l'energia della gente. I lavoratori in fabbrica si rifiutano di mettere la tuta, i tecnici dei condizionatori hanno una lista di prenotazioni di quindici giorni, e per parlare con i vigili del fuoco c'è un'attesa di cinque minuti al telefono perché sono quasi tutti fuori a affrontare gli incendi.

Una città spossata, chiusa in casa per non affrontare quello che c'è fuori. D'altronde, se fuori ci sono 40 gradi e sono solo le nove del mattino, è chiaro che la giornata non promette nulla di buono – soprattutto per chi è costretto comunque a lavorare.

Molti giornalisti, per esempio, ieri sono stati mandati a casa e le interviste cancellate. E questo non è niente in confronto ai saldatori della ditta Imes di Carini. Gli operai di questo settore sono stati temporaneamente messi in cassa integrazione per non farli lavorare con queste temperature.

Gli unici che non possono permettersi di rinunciare al lavoro sono gli operatori del freddo. I tecnici dell'aria condizionata sono infatti sommersi dalle chiamate di intervento, e in qualche caso hanno dovuto dire 'potremo venire solo tra quindici giorni.'

E visto che il caldo può essere anche un business, ecco che le bancarelle davanti alla Stazione Centrale hanno iniziato a vendere anche ventilatori.

Negli ospedali della città arrivano i primi casi di malori dovuti al caldo. Molte persone anziane che vivono sole arrivano al pronto soccorso quasi disidratate.

Ma se i medici sono sotto pressione, almeno i vigili urbani sono tranquilli. Il traffico è quasi inesistente, rari gli incidenti.

tuta	overall
spossato/a	without energy
affrontare	to deal with
saldatore	welder
mettere in cassa integrazione	to make redundant
visto che	given that
bancarella	stall
il pronto soccorso	first aid
vigili del fuoco	fire fighters
i vigili urbani	traffic police

c ♀ **Come mai ...?**

Attenzione: non si può rispondere con 'perché fa caldo'.

1 ci sono 45 gradi?
2 ci vogliono 15 giorni per avere un tecnico?
3 bisogna aspettare 5 minuti per parlare con i pompieri?
4 la giornata non promette bene?
5 gli operai della Imes sono stati licenziati?
6 i tecnici dei condizionatori lavorano giorno e notte?
7 arrivano tanti anziani in ospedale?
8 i vigili urbani sono contenti?

d ✍ Visto il caldo di ieri, spieghi com'è andata la giornata per queste persone.

es:

un tecnico dei condizionatori →
ha lavorato molto perché la lista di prenotazioni era lunghissima.

1 un operaio in fabbrica
2 un vigile del fuoco
3 un giornalista
4 un saldatore della Imes
5 un operatore del freddo
6 un venditore ambulante
7 un medico dell'ospedale
8 un signore anziano che vive solo
9 un vigile urbano

e ✍ **Per espandere il vocabolario.** Molte parole – verbi, nomi, aggettivi – hanno la stessa radice. Con l'aiuto del dizionario trovi il nome o il verbo che manca.

(NB: i verbi sono all'infinito).

verbi	nomi
Disidratare	Disidratazione
	Lavoratori
Rifiutare	
	Prenotazione
	Attesa
	Incendio
Promettere	
	Chiamata
	Intervento
Iniziare	
	Pressione

Per casa ✍

• Un suo amico abita a Palermo. Lei legge questo articolo su *Repubblica* e decide di scrivere una cartolina con qualche raccomandazione. Usi l'imperativo negativo con il *tu. (vedi pagina 61)*

es:

Mi raccomando, non ...

• Lei ha passato una giornata di gran caldo a Palermo. Scriva una lettera in cui

(a) descrive il tempo, le strade, il traffico.
(b) racconta qualche fatto di cui tutti parlano.

63

L'altra vacanza

14 Sul Lago Dorato

a 👫 Prima di leggere fate la conversazione usando il *tu*:

- Sei mai andato/a a cavallo? Quanto tempo fa?
- Ti è piaciuto? Perché?
- Se potessi scegliere, dove andresti a cavallo?

Condizionale di andare:

(io) andrei	(noi) andremmo
(tu) andresti	(voi) andreste
(lui/lei) andrebbe	(loro) andrebbero

SUL LAGO DORATO

Per gli amanti della natura e degli animali, niente di meglio di una passeggiata in sella lungo i percorsi più suggestivi!

Il lago della Duchessa, il più alto e forse il più piccolo del Lazio, a quasi 2000 m di altezza, è nascosto in una piega dell'Appennino (ora riserva naturale) tra il Lazio e l'Abruzzo.

È un percorso abbastanza duro, compensato però alla fine da uno spettacolo senza uguali. Richiede circa mezza giornata.

Al bivio poco prima di **Corvaro** si prende la strada bianca a destra e si arriva subito al recinto del **Centro Cavalli**. Uscendo dal centro, si prende il sentiero a destra che passa sotto **l'autostrada Roma-l'Aquila**, la A24, prima del tunnel. Il sentiero comincia quasi subito a salire tra la fitta vegetazione. Il sentiero non è difficile da seguire, ma la salita è dura per i cavalli.

Dopo circa 3/4 d'ora di cammino si esce allo scoperto: il panorama è stupendo, e neanche l'autostrada riesce a rovinarlo. Si sale ancora un po' e davanti agli occhi si apre una piccola valle verde con una capanna di pastori, ideale per una sosta. Siamo al **Coppo dei Ladri**, che in passato era la strada dei briganti tra il Lazio e l'Abruzzo.

Si continua seguendo i segnali gialli e rossi fino al **Fonte Salomone**, che è l'unica sorgente della zona: qui ci si riposa, si fanno bere i cavalli, che avranno sete: sono già passate quasi due ore.

Quasi dietro l'angolo e solo all'ultimo minuto, (sotto il Monte Velino, a destra), si vede il lago: uno specchio d'acqua piccolissimo, ma un posto di grande fascino. Lasciando il lago si prende a sinistra e si arriva alla sorgente **La Vena**, vicino a un'altra capanna abbandonata. Il sentiero quassù è duro, ma migliora verso il fondovalle. Qui si gira a sinistra sulla strada bianca verso **Corvaro**. Si passa sotto l'autostrada, e l'arrivo è ormai vicino.

ⓑ 🎧 📖 Ascolti e legga. Sottolinei le parole che danno le indicazioni dell'itinerario.

ⓒ 🎧 ✎ Riascolti. Completi la cartina con i nomi e segni l'itinerario con frecce.

ⓓ 👥 💬 **Studente A:** Un amico sta per partire per il Lago della Duchessa e le farà delle domande.

Si prepari a dare informazioni su:

- posizione del lago
- difficoltà
- panorama
- soste
- descrizione del lago
- quanto tempo ci vuole

L'amico ha una piantina simile alla sua, ma senza i sentieri.

Gli indichi la strada da seguire. Usi l'imperativo con il *tu*.

Studente B: pagina 172.

sentiero	*path, track*
salita	*climb*
capanna	*hut*
sosta	*stop*
specchio d'acqua	*sheet of water*
fondovalle	*valley floor*
sorgente	*spring*

Avete notato?

si *impersonale (vedi pagina 67)*

   si prende la strada a destra
   ci si riposa

NB Con i verbi riflessivi: **ci si** + *verbo.*

e L' articolo dice: 'qui ci si riposa'. Che altro si può fare nel corso dell'escursione? Usi i verbi riflessivi sotto con la struttura impersonale.

---

divertirsi, annoiarsi, stancarsi, riprendersi, riposarsi, rilassarsi, rinfrescarsi, dissetarsi, accorgersi

---

f Dopo aver fatto l'escursione al Lago della Duchessa, che le è piaciuta moltissimo, lei scrive il diario della sua giornata.

Per casa

- Scriva una lettera ad amici consigliando la gita.
- Prepari l'itinerario per una gita a piedi nella campagna vicino alla sua città.

15

Chi lo dice? Scriva il numero della vignetta accanto alla frase.
Attenzione: ci sono più vignette che frasi.

LAMPADE SOLARI PHILIPS. IL SOLE ENTRA IN CASA.

a 'Le otto file di ombrelloni, la sabbia negli occhi, il festival bar a tutto volume … .'
b 'La spiaggia, l'aria aperta, il rumore delle onde …'
c 'Ma non è meglio aspettare le vacanze per abbronzarsi?'

Grammatica

1 Richieste

Richieste formali:
>Il signor Schillizzi **è pregato di** ... + verbo.
>I signori Doni **sono pregati di** ... + verbo.

Richieste di cortesia:
>Le **dispiacerebbe** dirmi quando arriva?
>**Potresti** richiamare domani?
>**Sarebbe** possibile spostare l'appuntamento?

Da notare la struttura:
Pregare qualcuno / chiedere, domandare, dire **a** qualcuno / **di** fare qualcosa:

>Ti prego **di** fare presto.
>Gli ho detto **di** ritelefonare più tardi.

2 Qualche

Qualche (*some/any*) è sempre singolare:
>Hai letto **qualche bel libro** ultimamente?

quindi anche il verbo o l'aggettivo che lo accompagna:
>C'è **stato** qualche incidente grave sull'autostrada.

3 L'imperativo

L'imperativo con tu e voi:

		-ARE	-ERE	-IRE
TU		entra	scendi	dormi
	non	entrare	scendere	dormire
VOI		entrate	scendete	dormite
	non	entrate	scendete	dormite

Attenzione: i pronomi personali si attaccano alla fine dell'imperativo.
>Scrivi**mi** presto.
>Sveglia**ti**! (verbo riflessivo)

L'imperativo con il lei (di cortesia) è preso in prestito dal congiuntivo:

-ARE	-ERE	-IRE
arrivi	prenda	venga
rientri		parta
eviti		finisca

Per i verbi irregolari basta cambiare la **-o** della prima persona del presente indicativo in **-a**:
>**venga** (venire), **vada** (andare), **esca** (uscire).

Ma: **dia** (dare), **stia** (stare), **faccia** (fare)

4 'Si' impersonale

si + verbo 3a persona singolare:
>Oggi **si** parte.
>Come **si** fa la pizza?

si + verbo 3a persona plurale con un oggetto plurale:
>**Si** ved**ono** cose interessanti.
>**Si** fanno bere i cavalli.

ci si + verbo 3a persona singolare con i verbi riflessivi:
>**ci si** riposa
>**ci si** diverte

Nel mondo del lavoro

- Identificare vantaggi e svantaggi
- Suggerimenti: si dovrebbe …
- Fare paragoni
- Completare un CV
- Opinioni e reazioni

Come si guadagnano da vivere?

Indovini il lavoro di ognuno (✓).

> Mi piace la solitudine, non mi pesa

B

> giardiniere?
> artista?
> camionista?

> Il brutto è che mi devo alzare così presto, il bello è che alle 11 ho finito

A

> guardia notturna?
> giornalaio?
> fornaio?

> Si sta a contatto con la gente, ma può essere anche ripetitivo

C

> attrice?
> segretaria?
> assistente di volo?

> Gli amici dicono che è un lavoro profumato. E questo è vero!

D

> milionaria?
> fioraia?
> profumiera?

> Senza il mio pubblico sarei perso

E

> calciatore?
> deputato?
> conduttore televisivo?

Ⓐ Lavoro: vantaggi e svantaggi

1 Ha indovinato?

ⓐ Ascolti e legga. Scriva la lettera giusta nel riquadro.

1

Inizialmente mi sono messo a fare il fornaio solo per avere più tempo per la mia passione che è dipingere, però adesso mi piace molto: alzarmi all'alba da una parte lo trovo faticoso, dall'altra però mi dà energia per tutta la giornata. Alle 11 stacco e inizio un'altra vita. Chi l'avrebbe detto?

Ⓐ

2

Per me personalmente è entusiasmante quando contatto le altre persone al telefono, quando le incontro personalmente e quando possiamo scambiare idee. Solo che qualche volta diventa un po' noioso, un po' ripetitivo, perché ti capitano le giornate in cui devi scrivere quindici lettere tutte uguali a quindici persone diverse.

Ⓒ

3

Dovunque vai non sei mai solo, vogliono l'autografo, scattano fotografie eccetera, non hai più 'privacy'. Da un lato questo è seccante e oppressivo, dall'altro ti fa piacere, perché ti senti seguito. Allo stadio sappiamo tutti che per dare il meglio di sé ci vuole il pubblico, vero?

Ⓔ

4

È stressante solo perché è un lavoro in proprio, che non finisce mai per il semplice fatto che lo gestisci tu ... A parte questo, è un'attività molto gratificante, e io lati negativi non ne vedo. Lati positivi? Vieni a contatto con gente di tutto il mondo, viaggi in continuazione. Noi facciamo, produciamo, acquistiamo, rivendiamo e trattiamo materie prime per la profumeria – per profumare anche detersivi, non solo il profumo che tutti conosciamo – e alcuni alimenti, soprattuto bevande.

Ⓓ

5

Io ho fatto un po' di tutto, il commesso, il fattorino, il manovale, poi ho preso la patente speciale per camion e due anni fa ho cominciato a lavorare per questa ditta di trasporti internazionali. Lo svantaggio è che sei sempre solo con la tua radio nella cabina del TIR. Il vantaggio è che io personalmente non ci sto male, anzi, la solitudine mi piace; ma penso che tra non molto dovrò smettere se no mia moglie chiederà il divorzio!

Ⓑ

Risposte a pagina 180.

ⓑ ✍ Fatevi velocemente le domande:

– Chi ha bisogno di sostenitori?

– Chi ha paura che la moglie lo lasci?

– Chi si sente meglio fisicamente?

– Chi gira il mondo per lavoro?

– Chi deve contattare tanta gente?

Avete notato?

Vantaggi e svantaggi

da una parte ... dall'altra

da un lato ... dall'altro

i lati positivi ... i lati negativi

il vantaggio è che ... lo svantaggio è
   che ...

ⓒ 📖 ✍ Ogni lavoro ha i suoi vantaggi
e svantaggi. Trovi nel testo **a** le espressioni
qui sopra e le sottolinei.

🎧 ✍ Ora riascolti e completi la
scheda per i cinque personaggi. Aggiunga
il suo lavoro (anche lo studente è un
lavoro!) e confronti con un compagno.

ⓓ 👫 💬 Chi di questi dovrebbe
guadagnare di più secondo voi? Perché?
Discutete.

> dovrebbe, dovrebbero *he/she, they should*

Per casa ✍

Scriva 100 parole sul lavoro che lei
sceglierebbe di fare se potesse. Cominci così:
'*Se potessi, sceglierei ...*'

Lavoro	Vantaggi	Svantaggi

2 Paragoni. I manager più pagati

ⓐ 📖 💬 A parte gli stipendi, quali sono gli incentivi offerti ai dirigenti europei, e quale sarebbe l'incentivo ideale secondo lei?

Secondo il *Wall Street Journal*, gli italiani guidano la classifica delle retribuzioni, ma gli americani hanno i benefici maggiori

I manager più pagati? Gli italiani

I francesi godono di lunghe vacanze. I tedeschi guidano auto di lusso a carico dell'azienda. I giapponesi sono pagati in sushi, sake e golf. E gli americani hanno quasi sempre una partecipazione nel capitale. Ma i salari più alti del mondo sarebbero per gli italiani. Quanto guadagnano realmente i manager dei maggiori paesi industriali?

Il *Wall Street Journal* ha commissionato una ricerca sugli stipendi di dirigenti e impiegati nel mondo dell'industria. E i risultati sono sorprendenti.

Corriere della Sera

ⓑ 👥 Completi il grafico chiedendo al compagno quanto sono pagate in dollari le diverse categorie.

Studente A: questa pagina.
Studente B: pagina 173.

Da notare

Gli stipendi più alti **del** mondo

I paesi più ricchi **d'**Europa

Dopo il superlativo relativo si usa di.

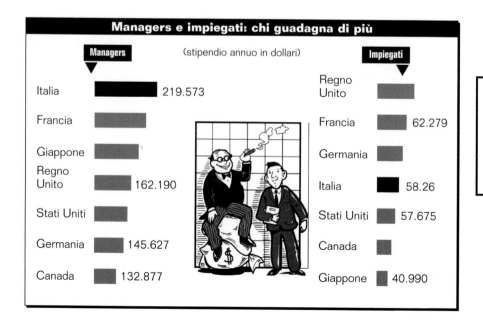

Managers e impiegati: chi guadagna di più

Managers	(stipendio annuo in dollari)	Impiegati	
Italia	219.573	Regno Unito	
Francia		Francia	62.279
Giappone		Germania	
Regno Unito	162.190	Italia	58.26
Stati Uniti		Stati Uniti	57.675
Germania	145.627	Canada	
Canada	132.877	Giappone	40.990

---

il salario *wages*
lo stipendio *salary*

In Italia lo stipendio in genere è mensile.

c A turno, fate quanti più paragoni potete in cinque minuti:

es:

Gli impiegati tedeschi guadagnano meno degli impiegati francesi.

I manager italiani guadagnano più dei ...

> **Per fare paragoni:**
>
> | | |
> |---|---|
> | più di, meno di | *more/less than* |
> | più di tutto | *more than anybody else* |
> | di più, di meno | *more, less (after verb/ at end of sentence)* |

3 Paragoni. Gli attori più bravi

a 1 Perché Judy Dench pensa che dovrebbe avere solo un pezzetto di Oscar?

2 Che cosa farebbe Gwuineth Paltrow senza la sua famiglia?

3 Perché Kazan pensa che adesso potrebbe anche andarsene?

4 Che cosa vorrebbe fare oggi Benigni?

> **Da notare**
>
> 'Più sorpresa **che** emozionata'
>
> *Per fare un paragone tra due aggettivi, due nomi, due verbi, ecc., si usa **che** (than)*

La vita é bella conquista tre statuette, *Shakespeare in Love* sette. Benigni trionfa a Los Angeles – è il primo attore straniero a vincere l'Oscar.

Judy Dench. Più sorpresa che emozionata

Pochi minuti per l'Oscar di miglior attrice non protagonista nel ruolo della Regina Elisabetta in *Shakespeare in Love*. 'È una sorpresa. Pensavo che la mia parte fosse troppo piccola. Per sei minuti sullo schermo, di Oscar dovrei averne solo un pezzetto.'

ⓑ 📖 ✏️ Legga e completi le frasi.

1 Judy Dench era meno emozionata che…
2 Guineth Paltrow invece era più…
3 Il vecchio regista Kazan ha avuto più…
4 Roberto Benigni era più sorpreso per l'Oscar di miglior attore …

Continui con:

5 Si tratta di un film più ironico ....
6 Sui giornali ci sono stati più elogi ....
7 È più comodo guardare un film alla TV ....
8 Meglio .... senza amici.
9 Meglio .... mai.

> **!**
> più buono: migliore
> più cattivo: peggiore
> più piccolo: minore
> più grande: maggiore
> il migliore/la migliore: *the best*

ⓒ ✏️ 💬 Lei lavora per un settimanale italiano che la settimana prossima lancerà un concorso per gli amanti del cinema per scegliere il migliore e il peggior film, regista, attore, attrice e colonna sonora dell'anno.

Prepari un questionario con quattro domande. Intervisti tre persone nella classe e lo completi.

**Gwuineth Paltrow.
La più emozionata di tutti.**

Elia Kazan. Il momente più teso.

Roberto Benigni. Bello tre volte.

Statuetta alla miglior attrice. Ha detto piangendo: 'Quando ho sentito il mio nome, la mente mi si è svuotata, le gambe hanno tremato. Sono emozionata. Senza la mia famiglia oggi non sarei qui, non avrei questo Oscar in pugno.'

Il momento più teso della serata, quando il controverso regista quasi novantenne ha ricevuto il premio speciale alla carriera da Scorsese (con lui nella foto) e De Niro tra molti applausi e qualche astensione. 'Adesso posso anche andarmene', ha detto.

Per Roberto Benigni questo Oscar è stato bello tre volte. Ha vinto prima per il miglior film straniero, poi, con Nicola Piovani, per la miglior colonna sonora, e quindi per il miglior attore. 'Quello lì, quello del miglior attore, non me l'aspettavo proprio', ha detto Benigni, che si è fatto largo tra la folla saltellando da uno schienale all'altro. 'Voglio baciarvi tutti, voglio tuffarmi in questo mare di generosità.'

Posto e carriera

4 Il posto

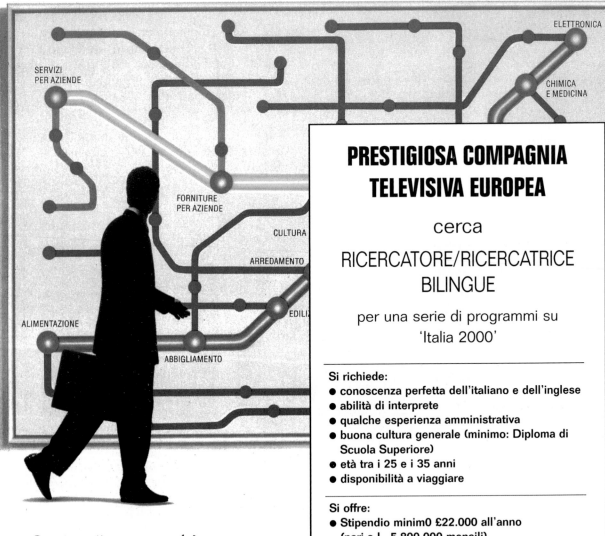

SERVIZI PER AZIENDE

FORNITURE PER AZIENDE

CULTURA

ARREDAMENTO

ALIMENTAZIONE

ABBIGLIAMENTO

EDILI

ELETTRONICA

CHIMICA E MEDICINA

PRESTIGIOSA COMPAGNIA TELEVISIVA EUROPEA

cerca

RICERCATORE/RICERCATRICE BILINGUE

per una serie di programmi su 'Italia 2000'

Si richiede:
● conoscenza perfetta dell'italiano e dell'inglese
● abilità di interprete
● qualche esperienza amministrativa
● buona cultura generale (minimo: Diploma di Scuola Superiore)
● età tra i 25 e i 35 anni
● disponibilità a viaggiare

Si offre:
● Stipendio minim0 £22.000 all'anno (pari a L. 5.800.000 mensili)
● Lavoro basato a Milano
● Contratto annuale rinnovabile
● Orari: imprevedibili
● Lavoro interessante, ma con ritmi pressanti

Inviare Curriculum Vitae via FAX entro il 25 ottobre.
Per informazione telefonare allo 442 7351

ⓐ Lei sa già queste parole?
Controlli sul dizionario i campi di lavoro che appaiono sulla piantina.

ⓑ Legga questo annuncio di lavoro.

5 Il colloquio di lavoro

Carla e Renato sono stati selezionati per il posto di ricercatore/ricercatrice.

a 🎧 ✍ Ascolti il colloquio con Carla e completi il suo Curriculum.

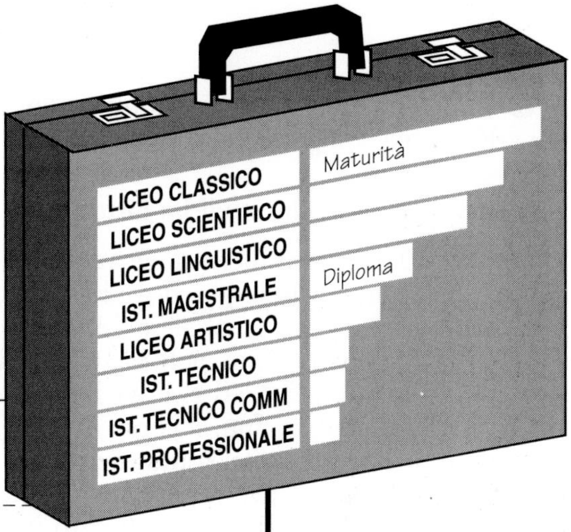

LICEO CLASSICO	Maturità
LICEO SCIENTIFICO	
LICEO LINGUISTICO	
IST. MAGISTRALE	Diploma
LICEO ARTISTICO	
IST. TECNICO	
IST. TECNICO COMM	
IST. PROFESSIONALE	

CURRICULUM VITAE

NOME _____

COGNOME _____

NATO/NATA A _____

_____

ETÀ _____

NAZIONALITÀ _____

RESIDENZA _____

_____

STATO CIVILE   Nubile   Sposato/a   Celibe

TITOLI DI STUDIO _____

_____

LINGUE PARLATE _____

_____

ESPERIENZA PROFESSIONALE _____

_____

_____

LAVORO ATTUALE _____

_____

VIAGGI E INTERESSI _____

_____

ⓑ 📖 ✍ Ora legga il colloquio con Renato e completi il suo Curriculum.

Renato, che studi ha fatto lei?

Renato   Dai dieci ai diciannove anni ho vissuto a Bologna, dove ho frequentato le medie e il Liceo Linguistico. Poi, nell'81, mi sono trasferito a Trieste, dove ho seguito per quattro anni il corso di laurea per Interpreti e Traduttori all'Università. Appena ho ottenuto la laurea, nell'85, ho passato un anno a Parigi, dove ho seguito un corso di perfezionamento di francese e inglese.

Ora che lavoro fa?

Renato   La mia storia lavorativa è semplice. Nell'86 ho cominciato a lavorare come interprete per una grande compagnia cinematografica italiana e ho continuato per cinque anni.

Mi piaceva molto, ma poi la ditta si è trasferita in un'altra città e per ragioni di famiglia sono dovuto rimanere a Bologna. Perciò ho cambiato lavoro. Dal '91 faccio il traduttore per una casa editrice specializzata in libri d'arte qui a Bologna.

Le piace il suo lavoro?

Renato   Sì, molto, ma l'anno prossimo vorrei trasferirmi a Milano con la famiglia e in effetti sto già cercando un nuovo lavoro.

Che tipo di lavoro le piacerebbe?

Renato   Mi piacerebbe molto lavorare come traduttore o anche ricercatore nel campo del cinema o della televisione.

ⓒ ✍ Faccia un breve sommario della storia di Renato, completando le frasi.

– Fino a 19 anni Renato …
– A 19 anni …
– Dopo aver ottenuto la laurea …
– Dall'86 al '90 …
– Nel '90 …
– Dal 1991 …
– Al momento …

ⓓ 🎧 ✍ Riascolti Carla e faccia un breve sommario della sua storia, come in **c**.

ⓔ 👥 💬 Lavori con un compagno e insieme decidete chi è la persona giusta per il posto.

ⓕ 👥 💬 ✍ Intervisti un compagno con le domande di attività **b** e scriva il suo CV.

Per casa ✍

Faccia un breve sommario dei suoi studi e della sua esperienza di lavoro come in **c** e scriva il suo CV.

6 La carriera: vale tanti sacrifici?

MARIA GRAZIA POLLINI –
28 anni – impiegata

NADIA TEMPINI
35 anni – annunciatrice

Né il lavoro, né la carriera sono così importanti da sostituire quel piccolo angolo della giornata dedicato a noi stessi e ai nostri hobby. Uscire con le amiche, andare a una mostra, fare un corso di aerobica, un giretto per le vie del centro o anche semplicemente stare seduti in poltrona davanti alla televisione, sono tutte cose a cui non potrei rinunciare. Tutti abbiamo bisogno di un momento 'nostro', per gettare alle spalle i doveri, i problemi con il capo, le nevrosi del colleghi e per ossigenarci con idee e con incontri nuovi. È un modo 'per cambiare vita', per vedere le cose da una prospettiva completamente diversa. Vivere sempre nello stesso ambiente, pensare solo ai propri impegni professionali, può solo farci perdere il contatto con la realtà quotidiana. Certamente si può essere soddisfatti anche riservando al lavoro solo una parte di noi stessi e dedicando tempo agli amici, ai figli, alla nostra salute e a tutto ciò che ci fa piacere. Sono momenti importanti per avere una personalità equilibrata ed evitare così gli inevitabili colpi di stress, le ansie della competizione, le depressioni. Vale davvero la pena sacrificare tante piccole gioie quotidiane per salire un gradino più in su?

Se il lavoro ci piace, ci soddisfa e ci fa sentire realizzate. Spesso chi ama la propria professione ci si butta anima e corpo e non ha bisogno di un'altra attività, neppure se si tratta di un hobby piacevolissimo. Poi siamo realiste: spesso il tempo libero di una donna che vive in città, invece di essere utilizzato per andare in palestra, dal parrucchiere, per fare un corso di pittura o per leggere un libro, serve piuttosto a risolvere problemi imprevisti e sempre legati alla casa. Come la ricerca spasmodica delle tende per il soggiorno o i cuscini per il divano. Dedicarsi alla propria carriera, cercando un miglioramento dal punto di vista professionale, è invece un modo per pensare a se stesse. Raggiungere dei buoni risultati significa acquistare una maggiore fiducia e sicurezza nelle proprie capacità. Non è cosa da poco. Ed è sicuramente più gratificante di un frenetico shopping nelle vie del centro. Utilizzare una parte del proprio tempo libero per 'far carriera', non vuol dire essere meno disponibili verso la famiglia e gli amici. Si tratta solo di saper organizzare il poco e preziosissimo tempo che abbiamo a disposizione.

ⓑ 📖 Parole inglesi come *hobby*, *stress* e *shopping* sono usate al posto di *passatempo*, *tensione* e *spesa* e fanno ormai parte del vocabolario italiano.

Con un compagno trovi le parole italiane che corrispondono a queste parole inglesi usate frequentemente dagli italiani:

manager	slogan	computer
hooligan	killer	leader
look	match	puzzle
quiz	shock	

Ci sono parole italiane usate nella sua lingua?

ⓒ 📖 ✍ Nel testo trovi le preposizioni usate con i seguenti verbi e faccia delle frasi:

dedicare/arsi	servire
avere bisogno	pensare
andare	riservare
rinunciare	

ⓓ 📖 ✍ Chi lo pensa, Maria Grazia o Nadia?

Scriva il nome vicino a ogni frase, poi controlli con il testo.

- Avere buoni risultati nel campo del lavoro dà fiducia in se stessi.
- Pensare solo al lavoro ci allontana dalla realtà.
- Dedicarsi alla propria carriera è un modo per pensare a se stessi.
- La carriera non è più importante dei rapporti sociali.
- La casalinga è stressata quanto la donna di carriera.
- La donna di carriera soffre di ansia.
- Il lavoro ci fa sentire realizzate.
- Chi ama il proprio lavoro non ha bisogno di hobby.
- Tutti abbiamo bisogno di un po' di tempo 'nostro'.
- Far carriera non vuol dire trascurare la famiglia.

ⓔ 📖 Legga le frasi usando: '*Per/Secondo Maria Grazia/Nadia …*'

ⓕ 📖 Con chi è d'accordo lei: con Nadia o con Maria Grazia?

Dalla lista scelga le idee che le sembrano giuste e le legga cominciando: '*Secondo me …*'

g 👫 💬 In classe trovi tre persone che sono d'accordo con lei. In gruppo discutete le idee, aggiungendone altre. Uno studente presenta il punto di vista del gruppo alla classe. *(Secondo noi ...)*

Usate le espressioni utili nei riquadri.
Vedi anche le unità 1–2:

Per chiedere un'opinione	Per rinforzare un'idea	Per spiegare
Secondo lei/voi ... Per lei/voi ... È d'accordo con ...	Non solo ..., ma anche ... Inoltre ... (*moreover*) Per di più ... (*moreover*) Proprio ... (*really*)	Cioè ... Voglio dire che ...
Per esprimere un'opinione	**A favore/Contro**	**Per concludere**
Secondo/secondo me ... Sono/non sono d'accordo con ...	I vantaggi ... gli svantaggi ... Da una parte ... dall'altra ...	In conclusione ... Infine ...

Per casa ✍

- Scriva una lettera con il suo punto di vista alla rivista che ha pubblicato l'articolo.

- Risponda alla lettera qui a destra.

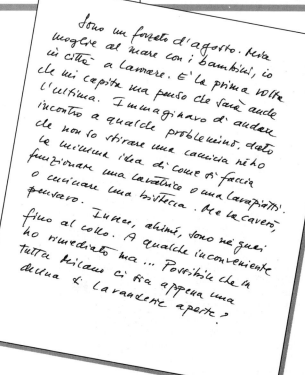

Sono un forzato d'agosto. Resta mogline al mare con i bambini, io in città a lavorare. È la prima volta che mi capita ma penso che sarà anche l'ultima. Immaginavo di andare incontro a qualche problemino, dato che non so stirare una camicia né ho la minima idea di come si faccia funzionare una lavatrice o una lavapiatti, o cucinare una bistecca. Me la caverò, pensavo. Invece, ahimè, sono nei guai fino al collo. A qualche inconveniente ho rimediato ma ... Possibile che in tutta Milano ci sia appena una ditta di lavanderie aperte?

© L'importanza della lingua

7 📖

(1)

Ha gli occhi chiari, il naso affilato, in testa la bombetta e perfino l'ombrello, che più inglese non si può. Ma ha anche qualcosa di mediterraneo, il signor Stephen Murrell: il fatto che vive a Massa Carrara, ha una moglie italiana. E così si è inventato la possibilità di trasformare le carrozze ferroviarie in aule scolastiche dove lui insegna la sua lingua, l'inglese. L'esperimento ha avuto successo, tanto che oggi il Professor Murrell ha diversi collaboratori e tiene regolarmente corsi di inglese sui tratti Lecco-Milano, La Spezia-Genova, Savona-Genova e Firenze-Montevarchi.

(2)

Ma chi, e perché, sceglie di imparare una lingua sul treno? Lo ha spiegato Stephen Murrell qualche giorno fa durante un'intervista: 'Era assurdo – ha detto – vedere tutto quel tempo sprecato andando su e giù in treno. Quel tempo potrebbe essere impiegato in modo utile, per esempio imparando una lingua straniera. E siccome già dirigevo una scuola d'inglese, mi è venuta l'idea di fare qualche lezione sui treni. In questo modo fornisco ai viaggiatori pendolari un servizio utile e al tempo stesso divertente.'

(3)

'Divertente?' 'Sì – risponde lui – perché io uso il sistema più semplice del mondo. Quando i bambini imparano a parlare lo fanno ripetendo le parole che hanno sentito dire dal papà e dalla mamma, mica sgobbando sulle grammatiche. E così faccio io: insegno la mia lingua facendo parlare la gente. E per parlare, il treno è l'ideale: si fa conversazione restando seduti …'.

(4)

E siccome i viaggi in treno hanno una durata variabile, il signor Murrell ha ideato un corso di trentacinque ore diviso in piccole lezioni di quindici minuti l'una, che possono anche essere consecutive. In questo modo anche chi deve scendere alla prossima non perde la sua lezione. E il costo è modesto – 11 mila lire l'ora. 'Contrariamente a quanto si potrebbe pensare – aggiunge il professore – i nostri clienti non sono giovani studenti: la maggior parte sono signori di una certa età, operai, impiegati e professionisti. Per molti di loro tornare a scuola è un sogno.'

(5)

Ma per riuscire a mettere in piedi la sua scuola su rotaie Stephen Murrell ha dovuto prima convincere la direzione generale delle Ferrovie dello Stato. 'All'inizio erano molto scettici – racconta – Per convincerli c'è voluta una dimostrazione pratica. Abbiamo simulato una lezione sul treno.' Ma non d'inglese – di arabo. 'E sì – spiega lui – perché tutti sanno qualche parola d'inglese, mentre di arabo … Ma alla fine della lezione avevano imparato i primi rudimenti di quella lingua.'

(6)

L'unico problema per il signor Murrell e i suoi collaboratori è stato trovare quella bombetta che fa tanto inglese. 'L'ultima me l'ha comprata un amico – spiega lui – a Londra. Ma non è stato facile. Gli hanno detto che non ne vendevano da una quindicina d'anni.'

ⓐ 📖 Legga l'articolo velocemente senza dizionario. Scelga un titolo (a–f) per ogni paragrafo (1–6):

a Lezione di arabo
b Come funziona il corso
c Aule sui binari
d L'ultima bombetta
e Un sistema da bambini
f L'ideale per i pendolari

🖎 **Da soli o in coppia**: scrivete un titolo per l'intero articolo di dieci parole al massimo. Confrontate con il titolo originale (pagina 180).

ⓑ 🖎 Trovi nel testo parole o espressioni con questo significato:

Paragrafo 1	vagoni
Paragrafo 2	tempo perso
	dato che
Paragrafo 3	lavorano come matti
Paragrafo 4	inventare
Paragrafo 5	organizzare
	persuadere
Paragrafo 6	il solo inconveniente
	che fa pensare all'Inghilterra

ⓒ 📖 🖎 Trovi i motivi:

1 Perché il signor Murrell insegna l'inglese?

2 Perché insegna sul treno?

3 Perché usa il sistema dei bambini?

4 Perché le lezioni durano un quarto d'ora?

5 Perché piace ai clienti maturi?

6 Perché ha dovuto simulare una lezione?

7 Perché l'ha fatto in arabo?

8 Perché Murrell e i suoi collaboratori usano la bombetta?

Avete notato?

'Il tempo in treno si può usare **imparando** una lingua straniera.'

'I bambini imparano a parlare **ripetendo** le parole.'

'Si può conversare **restando** seduti.'

By doing, because of doing, while doing: **gerundio**

Il gerundio è facile. È invariabile:

-ando	(*verbi in* **-are**)
-endo	(*verbi in* -ere *e* -ire)

---

bombetta	*bowler hat*
aula	*classroom*
sprecare	*waste*
fornire	*to provide*
i pendolari	*commuters*
mica…	*certainly not…*
sgobbare	*to swot*
ideare	*to think up*

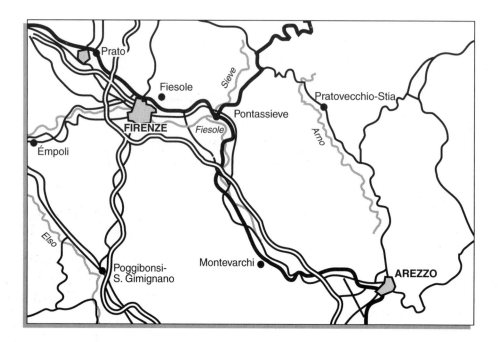

ⅆ Studente A

Lei viaggia tra Montevarchi e Firenze il lunedì, il martedì e il giovedì. Il viaggio dura mezz'ora circa. Telefoni al signor Murrell. Dica che ha sentito parlare dei suoi corsi e che vorrebbe delle informazioni. Gli dica il suo nome e dove viaggia. Chieda che metodo viene usato e il prezzo. Risponda alle domande del signor Murrell e cerchi di fissare una lezione per la settimana prossima.

Studente B: vada a pagina 173.

ⅇ Buon'idea o cattiva idea?

Chieda agli altri. Che ne pensano dell'idea del signor Murrell? Per esprimere approvazione o meno scelga tra queste espressioni:

* Ottima idea. Infatti …
* Non mi pare una buon'idea, perché …
* Non saprei.

8 Come s'impara una lingua

ⓐ Metta in ordine di priorità (1–9):

ⓑ ✍️ 🎧 Prima di ascoltare: come hanno imparato la lingua straniera queste persone? Indovinate. Usate il gerundio. Controllate con la cassetta e prendete appunti.

Massimo
48 anni

Dominique
36 anni

Michael
50 anni

Elena
18 anni

Irene
11 anni

👥 💬 E lei, come ha imparato l'italiano? Chieda agli altri.

ⓒ ✍️ Usando il gerundio scriva come si fanno queste cose:

1 come si impara a nuotare.
2 come si diventa medici.
3 come si fa il tè.

Per casa ✍️

Sottolinei la frase chiave di ogni paragrafo. Con queste frasi e con qualche modifica, faccia un riassunto dell'articolo (100–150 parole).

9 Interprete simultanea. Tutto il mondo in diretta

cuffia	*head phones*
aggiornata	*well informed*
impegnativo/a	*demanding*

Diana Rosselli

Una cuffia e due voci: quella della persona che sta parlando e quella di chi traduce. Tutto si svolge in pochi secondi. Non c'è possibilità di sbagliare. Ignota protagonista di convegni e congressi, è lei che permette il dialogo, che riesce a far parlare l'imprenditore di Tokio con quello di Prato, il cardiologo spagnolo con quello di Messina. Traduce immediatamente da un'altra lingua in italiano e viceversa. Lavora dentro una cabina e si dà il turno ogni mezz'ora con una collega.

Diana Rosselli, 30 anni, da otto anni gira l'Italia come interprete. 'Chi fa questo lavoro è indispensabile per la comunicazione. È un lavoro impegnativo, che dà molte soddisfazioni. A me piace stare dentro la cabina, usare la lingua viva, entrare in contatto con persone e problemi diversi, essere sempre aggiornata. E poi amo viaggiare. E si guadagna anche bene!'

Valeria De Micheli, insegnante alla Scuola Superiore per Interpreti di Bologna. Per cinque anni ha fatto l'interprete simultanea, poi si è sposata e ha scelto l'insegnamento. 'La materia da tradurre cambia ogni volta. Solo qualche secondo di tempo e l'errore non è permesso. La cosa più difficile è la programmazione, sia nella vita privata che nel lavoro. Arriva una telefonata e dopo due giorni bisogna essere a Palermo per un convegno e subito dopo a Milano o a Cagliari, sempre senza respiro. Bisogna sapersi adattare, ci vuole flessibilità.

Si lavora per un mese di fila e poi il mese dopo nulla. È stressante e ci vuole molta sicurezza in se stesse. Non c'è molto spazio per la vita familiare. Secondo me, le doti necessarie per essere una brava o un bravo interprete sono: prontezza di riflessi, molta pazienza, capacità di concentrazione elevatissima, una buona preparazione e molta voglia di studiare in continuazione per prepararsi in linguaggi specializzati, tecnici e scentifici.'

Valeria De Micheli

ⓐ 📖 ✎ Legga e sottolinei i lati positivi e negativi del lavoro d'interprete e faccia due colonne:

Mi piace perché ...

Non mi piace perché ...

....

....

....

ⓑ 👥 💬 Commenti con un compagno.

– Chi dice più cose positive, Diana o Valeria?
– E lei cosa pensa del lavoro d'interprete? Le piacerebbe fare questo lavoro? Perché?

ⓒ ✎ Le qualità necessarie. Completi la lista degli aggettivi.

es:

Per essere una brava o un bravo interprete:
bisogna avere flessibilità (*nome*)
bisogna essere flessibili (*aggettivo*)

precisione _ _ _ _ _ _ _ _ _ _ _ _ _ _ _
sicurezza di sè _ _ _ _ _ _ _ _ _ _ _ _ _
velocità _ _ _ _ _ _ _ _ _ _ _ _ _ _ _ _
pazienza _ _ _ _ _ _ _ _ _ _ _ _ _ _ _
puntualità _ _ _ _ _ _ _ _ _ _ _ _ _ _
preparazione _ _ _ _ _ _ _ _ _ _ _ _ _
prontezza di reflessi _ _ _ _ _ _ _ _ _ _
capacità di concentrarsi _ _ _ _ _ _ _ _

Da notare

Ecco le terminazioni più comuni delle parole astratte:

-ezza   gentilezza   (*kindness*)
-enza   pazienza   (*patience*)
-ità   felicità   (*happiness*)
-ione   determinazione   (*determination*)

NB. Gli aggettivi sono: gentile, paziente, felice, determinato

ⓓ ✎ Faccia frasi nello stesso modo con tre di questi lavori. Usi il dizionario se necessario.

dottore, insegnante, segretario/a, pilota, autista di autobus, dentista, il lavoro che lei fa o che le piacerebbe fare.

NB. Nelle strutture impersonali gli aggettivi vanno al plurale:

Bisogna essere flessibili.

Per casa

Lei è Diana Rosselli. Immagini una settimana intensa di lavoro e la descrive a un'amica in una lettera.

Grammatica

1 Comparativi

più	
	di, del, della, dell'
meno	

È **più** alta **di** sua sorella.
Questo racconto è **meno** bello **del** precedente.

Ma attenzione: se il paragone è tra le stesse parti
del discorso, allora bisogna usare **che**:

più/meno	che

È più timido **che** scontroso   (*2 aggettivi*)
Le piace più cantare **che** ballare   (*2 verbi*)
Ho meno fiducia in lui
   che in te   (*2 preposizioni*)
Meglio tardi **che** mai!   (*2 avverbi*)
Ha più amiche **che** amici   (*2 sostantivi*)

Dopo un verbo e alla fine della frase, **più** e **meno**
diventano **di più**, **di meno** (*more/most, less/least*):

Noi lavoriamo molto, ma lei lavora **di più**.
Di tutte le sue canzoni è quella che mi piace
di meno.

2 Superlativi

Relativo: il lavoro **più** faticoso **di** tutti
       la ragazza **più** simpatica **del** mondo

Assoluto: un'attrice brav**issima**,
       un film bell**issimo**

NB Dopo il superlativo relativo ci vuole la
preposizione **di, del, della**, ecc.

3 Il condizionale

Il condizionale esprime un'intenzione; **-rei/resti/
-rebbe** è il suono tipico del condizionale. Lo usate
fin dalle primissime lezioni di italiano:

Vorrei un caffè, **Mi piacerebbe** un gelato.

-ARE	-ERE	-IRE
ballerei	scriverei	dormirei
balleresti	scriveresti	dormiresti
ballerebbe	scriverebbe	dormirebbe
balleremmo	scriveremmo	dormiremmo
ballereste	scrivereste	dormireste
ballerebbero	scriverebbero	dormirebbero

Attenzione: Come nel futuro i verbi in **-are**
cambiano la -**a** in -**e**:

cant**are** > cant**erò** > cant**erei**

4 Si dovrebbe

Il condizionale di **dovere** + verbo è l'equivalente
di '*should*'.

dovrei
dovresti + *infinito*
dovrebbe

Dovresti farlo al più presto.
È un lavoro impegnativo, **dovrebbe essere
pagato** meglio.

5 Verbi seguiti da preposizione

dedicarsi a
avere bisogno di
rinunciare a
pensare a

6 Comparativi e Superlativi Irregolari

Aggettivo	Comparativo	Superlativo relativo	Superlativo assoluto
buono	migliore	il/la migliore	ottimo (buonissimo)
cattivo	peggiore	il/la peggiore	pessimo
grande	maggiore	il/la maggiore	grandissimo
piccolo	minore	il/la minore	piccolissimo

È un'**ottima** birra, è **la migliore** sul mercato, ed è **migliore di** quella che ho bevuto ieri.

7 Il gerundio

Il gerundio è invariabile. Ecco le desinenze:

> -**ando** (verbi in -are)
>
> -**endo** (verbi in -ere e -ire)

L'ho incontrato **uscendo** di casa.
I bambini imparano **giocando**.
Mangiando troppo si ingrassa.

Il gerundio indica il tempo, il modo, il mezzo o la causa dell'azione, e si riferisce sempre al soggetto del verbo principale:

Dominique ha incontrato Agostino **lavorando** a Roma.
(Dominique lavorava a Roma)

8 Parole astratte

Notare che tutte le parole in -**zione** e -**sione** sono femminili.

Sapendo un aggettivo si può spesso creare la parola astratta e viceversa:

-**ezza**	gentilezza	gentile
-**enza**	pazienza	paziente
-**ità**	felicità	felice
-**zione**	determinazione	determinato/a
-**mento** (m)	isolamento	isolato/a

ESPRESSIONI UTILI

Vantaggi e svantaggi

Da una parte ... dall'altra
Il lato positivo ... Il lato negativo...
Un vantaggio è che ...

Per chiedere un'opinione

Secondo lei, secondo voi?
È d'accordo con?

Approvazione

Buon'idea
Ottima idea

Rinforzo

Non solo ... ma anche
Inoltre
Per di più

Per spiegare

Cioè
Voglio dire che

Per concludere

In conclusione
Infine

L'Europa che verrà

- Il futuro
- Annunci e previsioni
- Esprimere emozione, sorpresa
- Organizzare un incontro
- Dare consigli
- Discutere

a  Ascoltate Silvia, Federica, Mario e Chiara, studenti liceali. Che ne pensano dell'Europa? Ricostruite le frasi e scrivete il nome:

1 pensare solo al proprio paese
2 l'avvicinamento culturale
3 in una dimensione più grande
4 più contatti con l'estero
5 le lingue ci permettono

a di conoscere meglio l'Europa ....
b ci sarà meno nazionalismo ....
c è una forte limitazione ....
d non è abbastanza sviluppato (*Mario*)
e significano più lavoro ....

b Questo manifesto è apparso al momento del lancio dell'Europa unita. Leggete le affermazioni. Che ne pensate oggi?

> penso
> credo *di sì*
> spero *di no* *perché...*
> temo

c Completi i futuri irregolari e trovi l'infinito:

sarò, sarai, sarà	*essere*
verrò, verrai, ...	......
terrò, terrai, terrà ...	......
cadrò ...	......
rimarrò ...	......
saprò ...	......
andrò ...	......
potrò ...	......

L'Europa che verrà.

Sarà l'Europa di tutte le razze e di nessun razzismo.

Sarà l'Europa della solidarietà.

Sarà l'Europa di chi crea, lavora, produce.

Sarà l'Europa dove i soldati si esercitano alla pace.

Sarà l'Europa di donne e di uomini liberi.

Sarà l'Europa tutta intera: idee senza frontiere, cortine, barriere.

Sarà l'Europa dei diritti, senza posto per gli inquinatori, i furbi, i corrotti.

Sarà l'Europa dove cresce la democrazia.

Sarà l'Europa dove è la giustizia a prevalere.

Sarà l'Europa dove è bello respirare.

Il Futuro

1 Che succederà?

Studente A: questa pagina (A, B, C).

Studente B: vada a pagina 174 (D, E).

Leggete gli articoli e completate la vostra scheda a pagina 90 come nell'esempio. Per prendere appunti, usate le parole chiave di ogni articolo.

Da notare

Il futuro si usa per previsioni, annunci e promesse:

> Il tempo migliorerà.
> La gara inizierà alle 2.
> Ti amerò tutta la vita.

Per azioni immediate si usa invece il presente:

> Domani parto. Torno giovedì.

A

Da domenica l'ora legale

Con un anticipo di due giorni rispetto all'anno scorso ritorna l'ora legale. Alle due della notte tra sabato 26 e domenica 27 marzo le lancette dell'orologio dovranno essere spostate in avanti di sessanta minuti.

L'ora legale resterà in vigore fino al 24 settembre compreso. Il provvedimento scatterà contemporaneamente in oltre venti paesi tra europei e extraeuropei.

B

MARATONA IN COPPIA CON AMORE

Mano nella mano, si parte per la mini-maratona a coppie 'Sempre insieme' dedicata agli innamorati. L'appuntamento, in pantaloncini sportivi e scarpe da ginnastica, è fissato per domani mattina alle otto e mezzo sul piazzale del Pincio. La partenza sarà alle 10.30 in punto, per un percorso di 5 km nel verde di Villa Borghese. Ci sono già 300 iscritti ma c'è ancora tempo: le ultime iscrizioni verranno accettate fino a 20 minuti prima della partenza direttamente al Pincio.

C

NIENTE LEVA PER CHI È NATO DOPO IL 1985

Il servizio militare obbligatorio verrà abolito entro sette anni, durante i quali diminuirà progressivamente il numero dei giovani di leva e crescerà il numero dei volontari. Nell'arco di sette anni avverrà la transizione a un modello interamente professionale delle Forze Armate composto in totale di 190.000 unità. I nati nel 1985 saranno così gli ultimi a essere soggetti alla leva. Donne soldato: potranno partecipare ai concorsi le ragazze con meno di 32 anni. Secondo le intenzioni del governo le donne costituiranno almeno il 10% degli effettivi.

---

scattare	*to come into effect*
rinviare	*to put off*
servizio di orientamento	*careers advisory service*
centralino	*switchboard*

ⓑ 📖 💬 👥 **Studente A:** Usando la sua scheda, dica a Studente B che cosa succederà **(B, C)**.

Studente B: vada a pagina 174. Comincia lei **(D, E)**.

	A	B	C	D	E
Chi					
Che cosa	*inizio ora legale*				
Quando	*sabato 26 – domenica 27 marzo fino al 24 settembre*				
Dove	*in Italia e in più di venti altri paesi*				
Come/ perché	*spostando le lancette in avanti di 1 ora*				

ⓒ ✍ Completi con il secondo futuro. Usi i testi e un po' di immaginazione:

1 L'ora legale scatterà in tutta Europa quando ...
2 Chiunque arriverà al Pincio venti minuti prima della Maratona ...
3 Il pubblico non resterà deluso se i Prefab Sprouts ...
4 Appena sarà abolito il servizio militare ...
5 Gli studenti che vorranno informarsi sui vari tipi di scuola ...

Per legare le frasi:

chiunque
se
appena
quando
che

Avete notato?

'Chiunque **telefonerà** al numero 77 38 920 **riceverà** consigli.'

Con due frasi legate fra loro, si usano due futuri:

Chi vivrà, vedrà.
Lo farò appena potrò.

Stanotte finisce l'ora legale

Questa notte orologi indietro di un'ora (dalle 3 alle 2). Si torna all'ora solare, dopo 182 giorni di ora legale

2 Di sicuro in futuro

ⓐ 🐟 💬 👫 Copi il questionario di
Panorama trasformando i titoli (**a–j**) in
domande.

es:

Nel terzo millennio, ci sarà un terza guerra
mondiale?

Intervisti tre persone.

ⓑ 🎧 🐟 Serena e Abele fanno il
questionario. Ascolti la conversazione e
decida chi dei due è l'ottimista e perché.

Che differenza c'è con il suo punto di
vista?

> **ottimista** m./f.: chi vede sempre il lato positivo
> delle cose e giudica favorevolmente
> **pessimista** m./f.: chi vede solo il lato negativo
> della cose

IL MONDO IN CUI VIVREMO

Di sicuro in futuro...

2000

Avvenimenti con maggiore probabilità di avverarsi nel XXI secolo.

a Cura per l'AIDS
b Cura per il cancro
c Cura per il raffreddore
d Auto non a benzina
e Vivere fino a cent'anni
f Terza guerra mondiale
g Viaggi interplanetari
h Computer intelligenti
i Unico governo mondiale
i Unica religione mondiale

Il secolo XXI rispetto al secolo XX

- più benessere
- più pace
- più cibo
- un ambiente migliore

Le condizioni del mondo alla fine del XXI secolo

- migliori
- peggiori
- le stesse

3 Pettegolezzi

ⓐ A una festa, le arrivano questi frammenti di conversazione. Li rimetta insieme (1–10 con a–j):

1 Dove sarà Roberto? Doveva venire alle nove. Che starà facendo?

2 Conosci il fratello di Fiorenza?

3 Hanno suonato alla porta.

4 Non ho l'orologio ma saranno le undici, penso.

5 Quei due vicino alla porta, non li ho mai visti prima.

6 Questo gelato è semplicemente squisito.

7 Vedi quel tipo che parla con Marta – È un famoso attore. Avrà almeno sessant'anni.

8 Hai idea di dove sia il vino?

9 Fabrizio è tutto bagnato. Che gli sarà successo, mi chiedo.

10 Sai niente di Angela? Non si è fatta sentire. So che doveva andar via per lavoro questo weekend, in Germania mi pare.

a *Avrà preso la pioggia, tutto qui.*

b *Non lo vedo da nessuna parte. Sarà già finito.*

c *Chi l'avrebbe detto? Se li porta magnificamente.*

d *Ma, allora sarà già partita.*

e *L'avrà fatto Ugo con quella sua macchinetta misteriosa.*

f *Sarà Antonia.*

g *L'avrò visto un paio di volte, ma non me lo ricordo.*

h *Saranno gli amici australiani di Massimo.*

i *Ah, meno male. Pensavo che fosse più tardi.*

j *Sai che tipo è. Sarà andato al bar a fare due chiacchiere.*

Avete notato?

saranno le nove	*it must be nine o'clock*
starà guardando la TV	*he is probably watching TV*
sarà andato al cinema	*he has probably gone to the cinema*

Il futuro è molto utile per indicare probabilità.

ⓑ Ora controlli con la cassetta.

ⓒ In conversazione tutti usiamo espressioni idiomatiche. Scriva come si direbbe nella sua lingua:

non si è fatto/a sentire	se li porta bene
tutto qui	tu sai che tipo è
hai idea di ...?	meno male!
chi l'avrebbe detto?	sai niente di ...?

Per casa

Scriva un dialogo con quattro di queste espressioni e due futuri di probabilità.

4 L'eclisse

È l'11 agosto 1999 e il mondo aspetta un evento straordinario.

a 📖 ✎ Legga l'articolo del *Corriere della Sera* e rimetta i verbi che mancano o al futuro o al presente.

coprire – essere – essere – nascondere
venire – abandonare – essere – osservare – esserci
diventare – raffreddarsi – abbaiare – divenire – abbandonare
essere – coprire – scivolare – avere – stare – restare

Questa mattina appuntamento al buio

Dalle 11, l'inizio dell'eclisse totale: due miliardi di persone con gli occhi rivolti al cielo. Tir vietati in Francia nelle ore di oscurità. Riti e preghiere in India.

Mentre leggete queste righe, forse una grande ombra ....(1).... già la pagina del giornale. Oggi, infatti ....(2).... l'11 agosto 1999, il giorno dell'eclisse totale del Sole. L'ultima di questo secolo, e l'ultima del millennio. Questa mattina la Luna, che pure ....(3).... 400 volte più piccola del Sole, lo ....(4).... a poco a poco, frapponendosi fra questo e la Terra, fino ad 'accecarlo' per due lunghissimi minuti: completamente a Bucarest e in altre parti d'Europa, quasi del tutto in Italia.

'Eclisse' ....(5).... da una parola greca che significa 'abbandono': e il Sole, appunto, ci ....(6).... . Nella prima fase, ci ....(7).... una luce indescrivibile, ben diversa da quella che si ....(8).... nelle eclissi lunari, quando è la Terra ad oscurare la Luna. Nei due minuti culminanti (fra le 12.32 e le 12.53 a seconda delle regioni d'italia) ....(9).... il 'buio a mezzogiorno'. Le ombre sotto le foglie degli alberi ....(10).... falci sottili. L'aria ....(11)...., i cani ....(12)...., gli uccelli ....(13).... muti. Tutto previsto dagli scienziati. Ma per due miliardi di persone (mai, nella storia dell'umanità, l'evento avrebbe avuto tanti spettatori) oggi è il giorno del Sole che ci ....(14).... .

L'ala nera ....(15).... grande e possente, ...(16).... una fascia di 110 chilometri e ....(16).... sull'Europa a 2800 chilometri orari. Tutto ....(17).... inizio al largo delle coste del Canada, quando parigini e romani ....(19).... ancora cominciando la loro giornata. L'unica incertezza, per gli scienziati, ...(20).... il tempo. Un cielo nuvoloso ridurrebbe il tutto a una normale giornata di maltempo.

ⓑ 🎧 ✍ Anche al **Telegiornale** (TG1) dello stesso giorno si parla, naturalmente, dell'eclisse. Ascolti e confronti con le previsioni nell'articolo. Risponda alle domande:

1 L'eclisse sta per cominciare o sta per finire?
2 La velocità dell'ombra è la stessa dell'articolo?
3 Com'è stato il tempo a Roma?
4 Che effetti ha avuto l'eclissse sulla natura?
5 Tre reazioni della gente.
6 Spieghi come si sono preparati i romani.
7 Che tipo di eclisse è stata quella del 1961?
8 Dove si trovava in quel momento la signora?
9 Come le è sembrata l'eclisse?

ⓒ 💬 👫 ✍ E lei dov'era durante l'eclissi del '99?

Cerchi di ricordare che cosa ha fatto quel giorno e che reazione ha avuto. Ne parli con un compagno usando le espressioni sotto. Scriva 200 parole.

Per esprimere reazioni e emozioni:	
Aggettivi:	
stupefacente	straordinario/a
stupendo/a	incredibile
impressionante	deludente
favoloso/a	diverso/a
Espressioni:	
mi fa/mi ha fatto	una grande emozione
	impressione
	paura
mi dà/mi ha dato	gioia
	timor panico
abbiamo avuto/	una sensazione...
è stata	un'impressione...

stare per + *infinito*	*to be about to...*
in diretta	*live*
impressionante	*shocking*
munirsi di	*to arm oneself with*
godersi	*to enjoy*
timor panico	*awe*

Da notare

ero in Egitto (*situazione: Imperfetto*)

quando **c'è stata** l'eclisse (*evento: Passato Prossimo*)

(*vedi unità 6–7*)

5 Una presentazione

Per casa 📖 ✍ 💬

Legga l'articolo a pagina 95 sul film *L'Eclisse* (1962) e prepari una breve presentazione orale su questi punti:

1 Chi era Antonioni.
2 Chi è Monica Vitti.
3 Che cosa faceva Antonioni a Firenze nel 1961.
4 La sua visione dell'eclisse.
5 Il giudizio di Monica sul film.
6 La reazione di Monica all'eclisse.

Monica Vitti: Ho paura come quando girai il film con Antonioni

Corriere della sera, 10 agosto '99

L'eclisse di Michelangelo Antonioni, nel celebre, discusso Film del '62, riguardava i sentimenti, come già dimostravano *L'Avventura* e *La Notte*.

Disse il regista che si era recato a Firenze a filmare la vera eclisse: 'Gelo improvviso. Silenzio diverso da tutti gli altri silenzi. Luce terrea, diversa da tutte le altre luci. E poi buio. Immobilità totale. Tutto quello che riesco a pensare è che durante l'eclisse probabilmente si fermano anche i sentimenti.'

'A distanza di tanti anni – dice Monica Vitti che allora era la compagna e l'attrice, la complice di Antonioni – *l'Eclisse* continua a sembrarmi un film angoscioso e bellissimo, in avanti sui tempi, come succedeva con Michelangelo. Nei suoi film, e in questo in particolare, la natura non è mai benevola.'

Che sensazione ebbe lei da quell'eclisse? 'Le cose belle mettono angoscia. Ebbi paura della morte, del buio, la stessa che provo ancora oggi ripensandoci.'

Come nacque l'idea? 'Michelangelo pensava a questo parallelismo dell'eclissi fisica e morale, l'aveva in testa, l'andava puntualizzando col suo stile inventivo e personale.'

E qual è il suo fascino? 'Il fascino dell'eclisse è di una cosa breve e vertiginosa, in un attimo cade il silenzio e sembra che gli elementi non ci appartengano. Questo era il finale del film. Gli altri film di Michelangelo erano più semplici e umani…'

E questa vera eclisse ora, la vedrà? 'Non lo so, dipende … Dicono che forse è meglio vederla in TV, anche questa volta la facciamo diventare uno spettacolo.'

95

Ⓑ

Pubblicità

6 Annunci alla radio locale

È sabato e con un gruppo di amici volete passare un'allegra serata in pizzeria e poi in discoteca, anche fuori Roma.

a 🎧 ✍️ Ascolti gli annunci e completi la scheda.

b 👥 💬 Studente A e Studente B fatevi le domande a turno:

1 Dove si può mangiare una pizza all'aperto?
2 In quale città si trova l' Egizia Elite e cosa offre?
3 Dove c'è buona musica il sabato sera?
4 In quale locale c'è un parcheggio per la macchina?
5 È possibile andare al Galoppatoio in agosto?

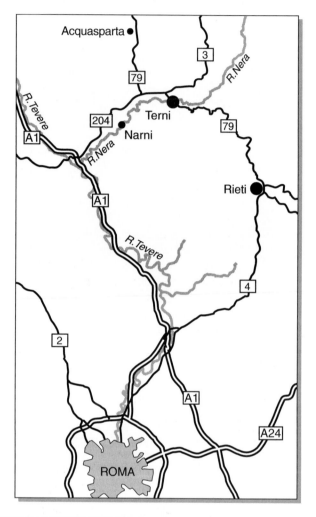

Dov'è/ Cosa c'è	Il Galoppatoio	Egizia Elite	Il Montagnone	La Grotta Rossa
Luogo				
Telefono				
Discoteca				
Bar/Pub				
Ristorante				
Pizzeria				
Parcheggio				
Musica				

c 👥 💬 Dopo aver ascoltato e usando le informazioni nella scheda, fate un programma per la sera. Decidete dove e con chi andare, come andare, a che ora incontrarsi, dove trovarsi, come vestirsi, ecc.

Cominciate: *Andiamo a … prendiamo la macchina … incontriamoci al bar, ecc*

d 💬 Il programma è fatto.

- Telefoni al suo amico Luigi e, usando il *tu*, gli dica di:
  - trovarsi a Piazza Cavour alle 6.30.
  - portarsi almeno 50.000 lire.
  - fermarsi prima al Bar Italia per un caffè.
  - ricordarsi di telefonare a Luciana.
  - mettersi un vestito elegante.

- Telefoni anche a Piero a Luisa e, usando il *voi*, dia le stesse istruzioni.

es:

Trovatevi a Piazza Cavour alle 6.30.

e 👥 💬 In gruppi organizzate una cena in pizzeria per tutta la classe. Fate un programma come in **c**.

> All'imperativo, con i verbi riflessivi i pronomi (**ti, ci, vi**) si uniscono alla fine del verbo. **!**
>
> *Es.* 'Troviamoci a Piazza di Spagna alle 6.30'

Per casa ✎

Scrivete una lettera agli studenti assenti con il programma per la serata e con tutte le informazioni necessarie.

7 Istituto Parrini

Lei vuole fare un corso intensivo di lingue in Italia e sta cercando una scuola. Alla radio sente un annuncio per l'Istituto Parrini.

a 🎧 ✎ Ascolti e completi.

Tipo di corsi offerti: . . . .

Durata dei corsi: . . . .

Le lezioni: . . . .

Il personale (insegnanti): . . . .

L'indirizzo: . . . .

Il numero di telefono: . . . .

La città: . . . .

ⓑ 📖 ✍ Trovi nel testo gli aggettivi che vogliono dire:

durante il giorno ....
durante la sera ....
durante le feste ....

Sul dizionario trovi gli aggettivi per queste espressioni:

durante la notte ....
durante l'estate ....
durante l'inverno ....
adatto per l'autunno ....
da primavera ....

Faccia frasi usando gli aggettivi con le seguenti parole:

spettacolo, corso, orario, vestiti, temperatura

es:
Vorrei informazioni sull'orario estivo, per favore.

Da notare

Plurale di nomi e aggettivi in: -co/ca
                 -go/ga

Normalmente -co/ca, -go/ga diventano -chi/che, -ghi/ghe al plurale:

  amica – amiche, collega – colleghe
  fuoco – fuochi, fungo – funghi

Eccezione: amico-ci/nemico-ci/greco-ci

Nel maschile, se l'accento è sulla terzultima sillaba il suono resta dolce:

  tecnico – tecnici, medico – medici,
  asparago – asparagi

ⓒ 🎧 Quali scuole si sentono nell'annuncio? Segni le scuole che sente.

Per l'istruzione culturale e scientifica

- Liceo   Classico
              Scientifico
              Linguistico
- Istituto   Magistrale

Per l'istruzione artistica

Liceo Artistico
Accademia Musicale
Accademia di Belle Arti
Accademia di Arte Drammatica

Per l'istruzione tecnica e professionale

- Istituto Tecnico per ragionieri/geometri
- Istituto Tecnico per periti agrari/industriali/elettronici/ d'informatica
- Istituto Tecnico per il Turismo

N.B. Tutte le scuole superiori danno accesso all'università.

---

istruzione	*education*
perito	*non graduate expert*
istituto tecnico professionale	*vocational institute*

d ✍ Aggiunga gli aggettivi al plurale:

classico	autori	....	statue	....
scientifico	libri	....	ricerche	....
linguistico	licei	....	teorie	....
tecnico	laboratori	....	spiegazioni	....
scolastico	anni	....	vacanze	....
elettronico	strumenti	....	macchine	....

e 📖 ✍ **Quiz sul plurale.** Sottolinei la parola giusta e faccia delle frasi.

comico:	comichi	**lago:**	laghi	**scolastico:**	scolastichi	**giacca:**	giacce
	comici		lagi		scolastici		giacche

ricco:	ricci	**pesca:**	pesce	**astrologo:**	astrologhi	**cuoco:**	cuochi
	ricchi		pesche		astrologi		cuoci

medico:	medici	**psicologo:**	psicologi	**albergo:**	alberghi
	medichi		psicologhi		alberghi

9 📖 💬

Sui muri dell'Istituto Parrini c'è un poster con consigli per gli studenti.

- Metta i numeri da 1 a 10 in ordine di importanza.
- Dia consigli a un amico usando *Se fossi in te* + il condizionale

(Per il condizionale vedi pagina 86)

es:

Se fossi in te cercherei di scoprire quello che veramente ti piace fare.

---

10 CONSIGLI UTILI PER AVERE SUCCESSO NEGLI STUDI E NEL LAVORO

- Cercare di scoprire quello che veramente piace fare. Interessarsi all'arte, allo sport, ai viaggi, alle lingue ecc.

- Fare test attitudinali, utili soprattutto se si hanno le idee un pò confuse

- Non scegliere una istruzione troppo specializzata

- Viaggiare e imparare bene almeno una lingua straniera

- Tenersi aggiornati nel mondo dell'informatica. Fare dei corsi

- Abituarsi a essere organizzati e ordinati

- Individuare i settori più congeniali e frequentare corsi di perfezionamento

- Non dare troppa importanza all'idea del posto fisso

- Abituarsi a essere indipendenti

- Pensare lungamente e seriamente prima di scegliere il tipo di studi all'università

---

se fossi in te	*if I were you*

10 La Pubblicità di Benetton

La pubblicità tradizionale, per creare nel pubblico il bisogno di comprare, di solito presenta una realtà che non esiste, un mondo affascinante e idealizzato in cui tutto è bello e tutti sono perfetti. La pubblicità di Benetton è diversa. Nei suoi manifesti si vedono bambini di tutte le razze che si abbracciano, preti e suore che si baciano e, più recentemente, le croci del cimitero, il malato di AIDS, il filo spinato: tutte foto firmate da Oliviero Toscani che mostrano una realtà che nessuno vuole vedere.

Dal 1984, progressivamente, il prodotto è scomparso dai manifesti. Le campagne pubblicitarie Benetton, diffuse in tutto il mondo, sono state definite dall'azienda stessa 'Sempre meno commerciali e sempre più ideologiche'. Il messaggio non è più 'Comprate i golfetti di Benetton', ma 'Pensate ai mali del mondo'. Le foto di Toscani servono sempre più a combattere il razzismo, la violenza, l'Aids, la persecuzione e la discordia, piuttosto che a vendere golfetti.

Ma non tutti apprezzano queste buone intenzioni. Toscani si ritiene un idealista, ma da molti è considerato una persona che per vendere un prodotto, un golfetto o un vestito sfrutta la sofferenza della gente. Molti giornali e riviste si sono rifiutati di pubblicare le foto di Oliviero Toscani e molte persone indignate hanno scritto lettere di protesta ai giornali, dicendo che non compreranno mai più i golfetti di Benetton. La pubblicità di solito ha lo scopo di aumentare le vendite, quella di Benetton sembra avere l'effetto opposto: le fa diminuire!

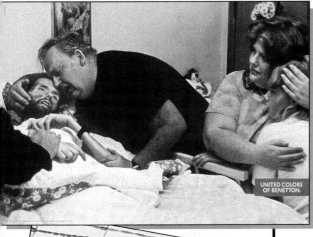

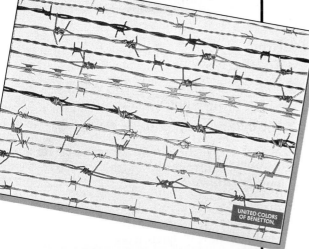

UNITED COLORS OF BENETTON.

© Benetton Group S.p.A. Photo O. Toscani.

baciarsi	to kiss
abbracciarsi	to hug
sfruttare	to exploit
scopo	aim
sempre più	more and more
sempre meno	less and less
mai più	never again

ⓐ 📖 🖎 Legga l'articolo e risponda.

- In che modo la pubblicità tradizionale persuade a comprare?
- In che modo è diversa la pubblicità di Benetton?
- Qual'è la reazione del pubblico a questo tipo di pubblicità?
- Che importanza ha il prodotto nella pubblicità di Benetton?

ⓑ 📖 Legga alcuni commenti sulla pubblicità di Benetton:

FRANCO MAZZETTI, DIRETTORE DEL MENSILE IMPATTO:

> *'Le campagne Benetton sono fatte soltanto per fare scalpore.'*

ADRIANA AMICI, DIRETTRICE DELLA SACNO:

> *'Trovo molto più irritanti altre pubblicità, come quelle basate ancora sulla vecchia idea della donna oggetto…In fondo la pubblicità di Benetton è certamente nuova e interessante'*

UN COMMERCIANTE TEDESCO:

> *'I manifesti danno l'impressione di un'azienda senza scrupoli'.*

scalpore	sensation
manifesto	poster
azienda	company

Track 7

c 🎧 📝 Ascolti le interviste con Mirella, Sergio e Gianni e scriva le parole-chiave che usano per dire che sono a favore o contro.

d 🎧 📝 Riascolti le interviste e riassuma i commenti di Mirella, Sergio e Gianni in non più di trenta parole ognuno.

💬 Con chi sono d'accordo?
Con F. Mazzetti, A. Amici o con il commerciante tedesco?

E lei con chi è d'accordo?

11 La sua opinione sulla pubblicità di Benetton.

a 👫 📖 💬 **Studente A:** Legga le seguenti affermazioni a Studente B.

Studente B: Esprima la sua opinione usando il congiuntivo come nell'esempio: (Per il congiuntivo vedi pagina 104.)

es:

– Toscani è un bravo fotografo.
– Sì, credo che Toscani **sia** un bravo fotografo.
– No, non credo che Toscani **sia** un bravo fotografo.

1 Toscani è un idealista.
2 È importante mostrare il prodotto.
3 Molte persone hanno criticato i manifesti di Benetton.
4 Toscani fa bene a mostrare la realtà.
5 Toscani combatte il razzismo.
6 Benetton sfrutta i problemi del mondo.
7 Le foto di Toscani stimolano a pensare.
8 Benetton usa i manifesti per vendere prodotti.

b 📝 Scriva cinque frasi con la sua opinione sulla pubblicità di Benetton.

(Le immagini, la filosofia, Toscani, ecc.)

Scelga gli aggettivi dalla lista e usi avverbi come: piuttosto, abbastanza, particolarmente, ecc.

scioccante	realistico/a
tradizionale	artistico/a
moderno/a	idealista
stimolante	infuriante
efficace	innovativo/a
interessante	noioso/a

es:

Credo che i manifesti **siano** veramente interessanti.

12 Un questionario

Usi il questionario con i compagni per fare un sondaggio in classe.

Risultato del questionario. La maggioranza degli intervistati:

1 ha avuto ......
2 pensa che ......
3 preferisce ......
4 compra ......

Per casa

Scriva commenti sulla pubblicità che in questo momento si vede sulle riviste e in televisione.

Questionario

1 Che reazione ha avuto la prima volta che ha visto un poster di Benetton?

☐ interesse   ☐ rabbia
☐ sorpresa   ☐ repulsione

2 Pensa che la campagna pubblicitaria di Benetton abbia successo nel

☐ vendere il prodotto?
☐ far pensare a importanti problemi?

3 Lei preferisce:

☐ un tipo di pubblicità più tradizionale
☐ un tipo di pubblicità che fa scalpore

4 Lei compra più o meno prodotti di Benetton, come risultato della campagna pubblicitaria?

☐ più prodotti
☐ meno prodotti

Grammatica

1 Futuro

Si forma dall'infinito. Le desinenze **-rò, -rai, -rà, -remo, -rete, -ranno** sono le stesse per tutti i tipi di verbi.

I verbi in **-are** cambiano **-a** in **-e**.

-ARE	-ERE	-IRE
amerò	leggerò	partirò
amerai	leggerai	partirai
amerà	leggerà	partirà
ameremo	leggeremo	partiremo
amerete	leggerete	partirete
ameranno	leggeranno	partiranno

Ecco i più comuni **futuri irregolari**:

essere:
> sarò, sarai, sarà, saremo, sarete, saranno

venire, tenere, rimanere (raddoppiano la **r**):
> verrò, terrò, rimarrò

avere, andare, cadere, potere, sapere
> (si contraggono):
> avrò, andrò, cadrò, saprò, potrò

NB: Il condizionale irregolare si forma esattamente nello stesso modo: sarei, verrei, andrei, ecc.

2 Uso del futuro

Per annunciare **eventi** e fare **previsioni** (tempo, oroscopi) o **promesse**:

> Pioverà stanotte.
> Te lo farò sapere.

Per azioni immediate si usa invece il presente:

> Domani parto. Torno giovedì.

Con due frasi legate fra loro, si usano **due futuri**:

> Chi vivrà, vedrà.
> Chi indovinerà, avrà un premio.

Il futuro è usato anche per indicare **probabilità**:

> Saranno le nove. *It must be nine o'clock.*
> Starà guardando *He is probably*
> la TV. *watching TV*
> Sarà andato al *He has probably gone*
> cinema. *to the cinema.*

Stare per + infinito si usa per indicare un'azione imminente (*to be just about to*):

> Lo spettacolo **sta per** cominciare.

3 Altre forme dell'imperativo

La forma per il **noi** è uguale al presente indicativo (ma è presa dal presente congiuntivo):

> Usciamo! *Let's go out!*

Nei verbi riflessivi, il pronome personale si attacca all'imperativo:

> Ricordati di telefonare a Gianni.

4 Il congiuntivo

Le espressioni impersonali richiedono il congiuntivo:

> **È meglio che** ci **sia** l'Europa.
> **È importante che** non **emergano** nazionalismi.
> **Bisogna che** i giovani **viaggino**.

Ricordarsi che i verbi che esprimono opinione sono seguiti dal congiuntivo (vedi Unità 2):

> Pensi che tutto **sia** chiaro?
> Credo che ne **abbiano** parlato i giornali.

Vedi pagina 201.

5 Per raccontare

Ero in Egitto (situazione, descrizione: imperfetto)
quando **c'è stata** l'eclisse (evento: passato prossimo).

Per l'uso del passato vedi Unità 7.

6 Nomi e aggettivi in -ista

Al singolare i nomi e aggettivi in -ista possono essere sia maschili che femminili:

una brava violinista
un inguaribile ottimista

Ma il plurale è regolare:

le femministe
gli ottimisti

7 Plurale di nomi e aggettivi in -co/ca, -go/ga:

Normalmente, -co/-ca, -go/-ga diventano -chi/-che, -ghi/-ghe al plurale:

fuoco > fuochi
mucca > mucche

Nel maschile, se l'accento è sulla terzultima sillaba il suono resta dolce:

tecnico > tecnici
asparago > asparagi

Eccezione: amico > amici

ESPRESSIONI UTILI

Opinioni

credo, spero, penso, direi **di sì** ... **di no**
se fossi in te/lei/voi ... non lo farei

Per dare consigli

se fosse in lei + *condizionale*

Emozioni

una sensazione stupenda
stupefacente!
un'impressione incredibile

Espressioni idiomatiche

non si è fatto sentire	*we haven't been in touch*
tutto qui	*that's all*
chi l'avrebbe detto?	*who would have thought it!*
se li porta bene	*he doesn't look his age*
sai che tipo è	*you know the type*
meno male!	*thank goodness for that*

- Parlare del passato: descrizioni e abitudini
- Paragoni con il presente
- Usare percentuali
- Parlare di prezzi e tenore di vita
- Espressioni concessive (*sebbene, benché*)

50 anni dopo

Guardi le fotografie e commenti con un compagno.

ROMA. Via della Conciliazione vista da dietro San Pietro.

MILANO. Affari e cultura cambiano volto al centro.

PALERMO. Il cemento ha cacciato gli aranci.

Ieri

1 Era meglio prima?

ROMA

Via della Conciliazione, una strada che non esisteva, è stata costruita 50 anni fa, perché chi veniva dal Tevere verso San Pietro non vedeva bene la basilica. Le case fra le due piccole strade (Borgo Antico e Borgo Nuovo) bloccavano la vista. Le strade erano anche molto strette e per trasporto si usavano solo i tram. I veri romani non volevano la nuova strada, preferivano questa zona di Roma come era, autentica, e consideravano questo cambiamento una violenza urbanistica. Per molte persone invece è stato un grande successo.

MILANO

Corso Vittorio Emanuele, com'era 50 anni fa e com'è oggi. Prima, su tutti e due i lati, c'erano vecchi palazzi eleganti che avevano molti balconi. C'erano molti negozi e portici, coperti da tendoni. Il Corso era una strada movimentata, il traffico era intenso, nella strada passavano i tram, moltissime persone passeggiavano sui marciapiedi e guardavano le vetrine. Oggi rimangono solo i portici e i negozi; il resto è tutto cambiato. Il Corso ora fa parte di un'isola pedonale e non c'è traffico, ci sono solo negozi di lusso e persone che passeggiano tranquillamente.

PALERMO

Già 50 anni fa esistevano **l'ippodromo,** in primo piano nella fotografia, e lo **stadio,** a destra. Il paesaggio campestre che esisteva una volta non c'è più. Bellissimi giardini di aranci e limoni coprivano completamente la pianura e arrivavano fino alle montagne. Oggi il verde è quasi scomparso e la pianura è ricoperta da enormi palazzi e grattacieli. La città si estende ormai fino alle montagne. 50 anni fa 465.000 persone vivevano a Palermo, oggi sono quasi un milione.

campestre	*rural*
ippodromo	*race-course*
vista	*view*
portico	*arcade*
paesaggio	*landscape*

a Legga gli articoli. Trovi nel testo i verbi all'imperfetto e li scriva vicino all'infinito. Faccia della frasi. Verbi in:

-are		-ere		-ire		essere	avere
arrivare	......	esistere	......	coprire	......	......	......
bloccare	......	vedere	......	preferire	......	......	......
considerare	......	vivere	......	venire	......		
guardare	......	volere	......				
passare	......						
passeggiare	......						
usare	......						

> *L'imperfetto si usa per descrivere le cose al passato (vedi pagina 129.)*

ⓑ ✍ Guardi le foto e completi la tabella per Roma. Poi continui con Palermo e Milano.

ROMA		
	Adesso	Prima
La vista/il panorama	San Pietro si vede bene.	*Non si vedeva bene.*
I trasporti	Si usano autobus e pullman.	
Il traffico	Ci sono molte macchine.	
L'architettura	La strada è molto larga.	
Il verde	Non si vedono alberi.	
La popolazione		

ⓒ 👥 💬 Guardate attentamente le fotografie.

Senza leggere il testo: **Studente A** descriva come Roma era 50 anni fa, **Studente B** descriva come Roma è oggi.

Continuate con Milano e Palermo, scambiando i ruoli.

ⓓ 👥 ✍ Per ogni città faccia una lista delle cose che **non** sono cambiate. Confronti con il compagno.

es:

San Pietro è esattamente oggi come era 50 anni fa.

ⓔ ✍ Scriva un paragrafo per ogni città e spieghi perché, secondo lei, era meglio prima o è meglio adesso.

es:

Palermo era meglio prima, perché c'era più verde, ecc.

Per casa

Prepari una breve presentazione sulla sua città per la prossima lezione. Usando cartoline o fotografie mostri cambiamenti che hanno migliorato o peggiorato la città.

2 Un eroe dei nostri tempi

La sorella Anna Maria ricorda il giudice Falcone.

Giovanni da bambino (*essere*) ... ubbidiente e premuroso, un figlio ideale. A scuola (*essere*) ... sempre attento e (*essere*) ... il primo della classe. Fin d'allora i miei genitori (*aspettarsi*) ... da lui grandi cose. (*Avere*) ... un carattere forte e coraggioso. Per difendere i bambini più deboli (*fare*) ... a pugni con i compagni. I miei genitori gli (*dire*) ... sempre che un ometto non deve piangere e lui non (*piangere*) ... Non (*mostrare*) ... mai la paura. La mia (*essere*) ... una famiglia molto borghese. Papà (*essere*) ... chimico e mia madre (*badare*) ... alla casa e ai figli. Noi (*vivere*) ... in un quartiere popolare di Palermo. Noi (*essere*) ... tre figli, due femmine e un maschio e lui (*essere*) ... il più piccolo. Giovanni (*amare*) ... profondamente il mare e l'unico svago che (*concedersi*) ... (*essere*) ... il canottaggio. Studio e sport (*essere*) ... le sue passioni. (*Avere*) ... un'intelligenza non comune e una volontà di ferro. A Palermo (*fare*) ... il magistrato e alcuni colleghi gli (*dire*) ... che (*esagerare*) ..., e che la mafia non (*esistere*) ... Ma Giovanni (*andare*) ... dritto per la sua strada. Neanche le minacce lo (*fermare*) ... (*Essere*) ... convinto che, se si (*applicare*) ... seriamente la legge, si (*potere*) ... sconfiggere la Mafia. Col passare del tempo (*diventare*) ... sempre più il nemico numero uno della Mafia.

La seconda moglie Francesca, anche lei magistrato, (*capire*) ... perfettamente la vita di mio fratello e ne (*dividere*) ... i rischi. Giovanni non (*volere*) ... figli, perché (*sentire*) ... che prima o poi la Mafia lo avrebbe ucciso. Per lui il lavoro (*essere*) ... importantissimo e (*lavorare*) ... sempre 12 ore in ufficio e poi (*portare*) ... anche il lavoro a casa. I momenti più belli li (*passare*) ... con Francesca. Giovanni e Francesca (*cercare*) ... di godersi la vita. Quando (*potere*) ... (*andare*) ... a fare spese insieme a Roma.

Purtroppo, il 23 maggio 1992, mentre Giovanni, Francesca e i tre uomini della scorta (*tornare*) ... a Palermo a bordo di due auto, è esplosa una bomba e sono tutti morti.'

a ✍ 📖 Legga e metta i verbi all'imperfetto. Rilegga.

fare a pugni	*to fight*
canottaggio	*rowing*
scorta	*bodyguards*

b 📖 ✍ Trovi nel testo le espressioni equivalenti.

– quando era piccolo

– pieno di attenzioni

– un piccolo uomo

– il più bravo della classe

– una zona della città

– della classe media

– un divertimento

Avete notato?

L'imperfetto è usato per descrivere:

* *uno stato fisico o mentale nel passato*
* *azioni abituali*

Imperfetto irregolare: fare: **facevo**
dire: **dicevo**

| perché | *because* |
| perciò | *therefore* |

c ✍ Completi le frasi.

1 Era un figlio ideale, perché…
2 A scuola era sempre attento, perciò…
3 Faceva a pugni per difendere i più deboli, perché…
4 Aveva un carattere forte, perciò…
5 Il canottaggio era il suo unico svago, perché…
6 Continuava dritto per la sua strada, perché…
7 Era dedito al suo lavoro, perciò…
8 Il suo obiettivo era sconfiggere la Mafia, perciò…

Per casa ✍ 💬

Scriva la storia della vita di uno di questi personaggi famosi. Faccia prima un riassunto schematico come in **d**.

John F. Kennedy, Federico Fellini, Nelson Mandela, Mother Theresa.

d 👫 ✍ 💬 Faccia un riassunto schematico della vita di Giovanni Falcone. Confronti con un compagno.

Il padre:	Gli svaghi:
La madre:	Il lavoro:
Le sorelle:	I colleghi:
Il carattere:	Il suo obiettivo:
Lo stato sociale:	I suoi interessi:
Lo stato civile:	La sua morte:

Per la prossima lezione prepari una breve presentazione sul personaggio che ha scelto. Usi fotografie da giornali o da libri.

3 I libri che leggevano, i libri che leggono

GIACOMO RICCARDI.
GIORNALISTA

Che libri le piaceva leggere da bambino?

Il mio libro preferito che leggevo e rileggevo era *l'Isola del tesoro* di Stevenson. Mio padre mi aveva regalato il libro per Natale. Desideravo quel libro da quando avevo visto il film con Orson Welles e mi era piaciuto tanto. Era un libro con bellissime illustrazioni.

Ha tempo per leggere adesso?

Leggo molto durante l'estate, quando sono in vacanza. Leggo un po' di tutto. Quando viaggio leggo volentieri libri gialli.

Quale libro vorrebbe avere su un'isola deserta?

Senza dubbio, la *Divina Commedia*.

MIRELLA MUTOLO.
ATTRICE

Ha tempo per leggere?

Sì, sarà per il lavoro che faccio, sarà perché guardo poco la TV, ma io leggo moltissimo.

Quanti anni aveva quando ha cominciato a leggere?

Avevo tre anni. Mia madre era a letto con la sciatica e mi insegnava a leggere. Mi ricordo che leggevamo insieme *L'orsetto che non aveva amici*, un libro che mi piaceva tanto. Questo orsetto andava prima dalle api che lo pungevano, poi dai cani che lo mordevano e alla fine incontrava un'orsetta tutta rosa che diventava sua amica.

Quale libro vorrebbe avere su un'isola deserta?

La ricerca del tempo perduto di Proust. Se non altro perché sono sette volumi, così c'è più da leggere.

ALESSANDRA DI CELMO.
RICERCATRICE

Che genere di libri le piace leggere?

La saggistica, quella che si occupa di problemi sociali ed etici. Non mi piacciono invece i romanzi. Non mi sono mai piaciuti. Non sono mai riuscita ad arrivare fino in fondo. Mi piacciono al contrario le biografie, le autobiografie e anche il genere epistolare, tutte importanti testimonianze dell'epoca. Forse il libro più bello che abbia mai letto è *Se questo è un uomo* di Primo Levi.

E da bambina che libri le piaceva leggere?

Mi piacevano molto i libri di fiabe. Poi più tardi leggevo libri di avventura come *Robinson Crusoe*.

a ✍ Scriva il tipo di libro vicino a ogni definizione

Biografia   Romanzo rosa   Fiaba/Favola
Racconto   Romanzo   Autobiografia
Saggistica   Genere epistolare
Romanzo giallo

orsetto	*teddy bear*
ape	*bee*
pungere	*to sting*
mordere	*to bite*
se non altro	*at least*

.... Racconto fantastico per bambini

.... Storia fantastica piuttosto breve

.... Scritto di carattere critico su un argomento specifico

.... Racconto in cui la storia è narrata attraverso lettere

.... Narrazione della vita di una persona

.... Opera in cui l'autore narra la propria vita

.... Racconto lungo immaginario

.... Racconto di vicende poliziesche

.... Racconto di storie d'amore a lieto fine

ⓑ 💬 **Vero o falso?**

1 Giacomo aveva ricevuto il libro *L'Isola del tesoro* per il suo compleanno.
2 Il libro era un regalo del padre.
3 Mirella ha imparato a leggere da sola.
4 Alessandra adora leggere romanzi.
5 Giacomo legge libri gialli quando viaggia.

ⓒ ✍ Faccia una lista delle domande usate nelle interviste.

Quali si riferiscono al presente e quali al passato? Scelga quattro domande e risponda.

Faccia le stesse domande ad altri studenti in classe.

Trovi una persona a cui piacciono gli stessi libri che piacciono a lei.

ⓓ ✍ Usando il verbo *piacere* scriva una domanda per ogni frase. (Usi il *tu* o il *lei*)

1 Da bambino mi piacevano i libri di avventure.
2 Sì, l'ultimo libro che ho letto mi è piaciuto molto.
3 Veramente, i romanzi non mi sono mai piaciuti.
4 No, i libri di fiabe non mi piacevano, preferivo i libri di avventure.
5 No, non mi è piaciuto per niente.

ⓔ ✍ Alessandra definisce il libro di Primo Levi:

'*Forse il libro più bello che abbia mai letto.*'

Descriva nello stesso modo:

1 un film che ha visto (*noioso*)
2 un disco che ha sentito (*bello*)
3 un viaggio che ha fatto (*lungo*)
4 una persona che ha conosciuto (*simpatico/a*)
5 un piatto che ha mangiato (*buono/delizioso*)
6 una città che ha visitato (*interessante*)

Da notare

Dopo il superlativo relativo si usa il congiuntivo.

il libro più bello che **abbia** mai letto

(vedi pagina 129)

4 C'era una volta…

Alla domanda 'Ricorda il suo primo libro'?
Silvia Cecco ha risposto: 'Lo ricordo benissimo!
È *Pinocchio*. È una storia bellissima. Ricordo
Il Grillo Parlante, La Fata Turchina, I Briganti
… *Pinocchio* è il libro che porterei su un'isola
deserta. Comincia come tutte le storie…

C'era una volta… un pezzo di legno…

Con questo pezzo di legno, avuto in regalo, Geppetto costruisce un burattino che chiama
Pinocchio. Il burattino comincia a muoversi e poi scappa.

Geppetto lo insegue e cerca di trovarlo, ma finisce in prigione. Pinocchio torna a casa,
litiga con il grillo parlante, che vuole aiutarlo e, per sbaglio, lo uccide. Pinocchio si
addormenta con i piedi sul fuoco e si brucia i piedi. Tornato a casa, Geppetto rifa i piedi
a Pinocchio e poi vende la sua giacca per comprare un libro per mandare a scuola
Pinocchio. Ma invece di andare a scuola, Pinocchio vende il libro e va a vedere il teatro
dei burattini. Poi invece di tornare a casa, segue il gatto e la volpe che lo derubano, poi
incontra i briganti che vogliono ucciderlo. Ma la Fata Turchina salva Pinocchio.

Pinocchio dice molte bugie e ogni volta il naso diventa sempre più lungo.

Dopo molte incredibili avventure Pinocchio finisce nella pancia di un'enorme balena
e quì ritrova finalmente Geppetto e tutti e due si salvano.

Alla fine Pinocchio capisce che non può continuare a comportarsi come un
monellaccio e decide di mettersi a studiare. Un bel giorno si accorge che non è più un
burattino, ma è finalmente diventato un vero bambino.'

*NB. Per rendere un racconto più vivo a volte
si usa il presente anche per storie/azioni che
si riferiscono al passato.*

ⓑ 🖎 Guardi le figure a pagina 115 e
scriva per ognuna la parte del testo che
descrive quello che si vede. Usi tutto il
testo.

ⓐ 🎧 📖 Ascolti la storia di Pinocchio
diverse volte. Legga la storia a voce alta.
Cerchi sul dizionario le parole che non
conosce.

ⓒ 🗨 Metta la storia al passato. Aggiunga
altre cose nella storia di Pinocchio.

Per casa 🖎 🗨

Scriva la sua storia preferita. Si prepari a
raccontare o a leggere la sua storia preferita
a un compagno o alle classe.

c'era una volta	*once upon a time*

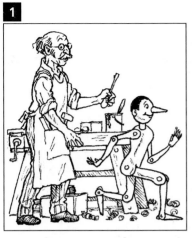

5 Com'era la sua vita dieci anni fa?

ⓐ 💬 Risponda alle domande.

– Quanti anni aveva 10 anni fa?
– In quale città viveva?
– Viveva in una casa o in un appartamento?
– 10 anni fa andava a scuola, lavorava o stava a casa?
– Come andava al lavoro o a scuola?
– La sera dopo cena guardava la TV, leggeva o usciva?
– Cosa faceva al fine settimana?
– Dove andava in vacanza? Con chi andava?
– Parlava italiano 10 anni fa?
– Chi era il suo cantante preferito?
– Aveva hobby?

ⓑ 👫 💬 Faccia le stesse domande
a un compagno.

10 anni fa	*10 years ago*

La qualità della vita

6 Prezzi alle stelle

ⓐ 📖 Senza dizionario, trovi i contrari:

crescere vertiginosamente, diminuire, scendere,
aumentare, andare alle stelle, crollare, salire,
ribassare

ⓑ ✎ Pensi al costo della vita quest'anno e faccia quattro frasi al passato prossimo.

es:

Quest'anno il prezzo del pane è aumentato moltissimo.

7 'Gli italiani si trattano meglio'

Ecco un grafico dei consumi degli ultimi anni in Italia:

	1995	1999
ABBIGLIAMENTO COMUNE	97,5%	
SCARPE, BORSE, ACCESSORI	42.7%	36%
VACANZE ALL'ESTERO	40%	55%
ABITI FIRMATI	28%	27,6%
BIGIOTTERIA, GIOIELLI DI LARGA PRODUZIONE	18,2%	37%
LIBRI	62%	70.4
BIGLIETTI DI CINEMA	92%	98,2%
VISITE AI MUSEI	65%	94%
ACQUA MINERALE	57%	72%
VINI DI MARCA	39.3	59,2%
CHAMPAGNE	35%	50%
FRUTTA ESOTICA	32,8%	40%
PASTA, PANE E LATTE	99,5%	99,3%

Studente A: Completi le percentuali che mancano con l'aiuto di Studente B.

Studente B: Faccia lo stesso (pagina 175).

es:

Quante persone hanno comprato articoli di abbigliamento nel '95?
Il 97 virgola 5 per cento (97,5%).

Da notare

Per parlare di percentuali:

il tre per cento: 3%
l'otto per cento: 8%
l'uno *virgola* 5 per cento: 1,5%
lo zero *virgola* 5 per cento: 0,5%

Notate la virgola nei decimali.

ⓑ 📖 🖊 Sì o no?

Recentemente ci sono stati dei cambiamenti nei consumi degli italiani. Corregga solo se necessario:

es:

Hanno speso di meno per i vini di qualità.
No. Hanno speso molto di più.

> **Dopo un verbo:**
>
> **di più**
> **di meno**
> **lo stesso**

---

1 È aumentato l'acquisto di libri.
2 Hanno consumato meno pasta, pane e latte.
3 L'acquisto di scarpe e borse è rimasto lo stesso.
4 È calata la passione per i capi d'abbigliamento firmati.
5 Sono andati più spesso al cinema.
6 È diminuito l'acquisto di frutta esotica.
7 Il consumo di acqua minerale non è né aumentato né diminuito.
8 Il consumo di champagne è andato alle stelle.

ⓒ Nel grafico ci sono altre percentuali interessanti? Faccia tre frasi.

es:

L'acquisto di vestiti è aumentato dell'uno per cento.

> **del** dieci per cento
>
> **dell'**8%
>
> **dello** 0,2%

ⓓ 👫 💬 E voi? Parlate per cinque minuti delle spese fatte quest'anno.

8 📖 🖊

ⓐ In casa o in classe. Legga l'articolo e lo adatti al suo paese oggi, cambiando il testo dove necessario:

GLI ITALIANI SI TRATTANO MEGLIO MA SGOBBANO DI PIÙ

Ha più soldi in tasca perché spesso in famiglia si lavora in due, possiede due automobili, utilizza spesso il motorino per spostarsi nel traffico (l'auto in città è sempre più sentita come un elemento di disagio). Ha cura di sé e entra con facilità in una libreria. Ama ancora il cinema. Poi mangia bene, sceglie alimenti sani, naturali, non disdegna la dieta e acquista solo vestiti di buona qualità, non importa se firmati o meno. Al momento di consumare, sceglie in prevalenza un negozio specializzato e preferisce evitare i grandi magazzini. L'italiano dell'era post-industriale sta cambiando in fretta. Ma all'italiano piace anche lavorare: non è certo un assenteista. Se guardiamo le cifre delle ricerche del Censis e dell'Osce, vediamo che l'Italia ha uno dei più bassi tassi di assenteismo del mondo.

---

b UN MILIONE DI GIOVANI IN VIAGGIO PER IL MONDO.

Ascolti la radio e segni l'interesse dei giovani per questi paesi.

	alto	medio	basso
Spagna			
Olanda			
Stati Uniti			
Egitto			
Cuba			
Inghilterra			

Ora segni le sue preferenze personali.

c Riascolti questa notizia sulle vacanze dei giovani e segni **V** o **F**.

1 La notizia si riferisce solo alle vacanze invernali.
2 Quest'anno hanno viaggiato meno giovani dell'anno scorso.
3 I giovani che hanno meno di venti anni preferiscono restare in Italia.
4 I giovani che hanno più di venti anni vanno più lontano.
5 Oggi si fanno vacanze più brevi, ma più spesso.
6 In Italia vince sempre la settimana bianca.

Che cosa c'è di nuovo nell'atteggiamento dei giovani verso le vacanze?

Da notare

Nelle espressioni impersonali l'aggettivo è al plurale:

È importante essere sani.

d **Con enfasi.** Invece di una frase semplice ('Un milione di giovani si sono concessi una vacanza') la radio usa una frase enfatica:
'*A concedersi una vacanza sono stati circa un milione di giovani*'.

a + *vb*	è/sono è stato/sono stati	*soggetto*

Continui allo stesso modo con:

• I giovani preferiscono l'estero
• La settimana bianca vince sempre
• Si afferma la tendenza al viaggio esotico
• Il dato è stato calcolato dal Centro Turistico Giovanile

9 Le cose più importanti

Quali sono secondo lei le cose più importanti per una buona qualità della vita?

Metta in ordine di priorità (1-6) e confronti con un compagno.

avere   un tetto sulla testa
contatti con la natura
un posto sicuro
un buono stipendio
amici
il senso dell'umorismo

essere   ricchi
belli
sani
amati
intelligenti
colti

10 I due postini

ⓐ 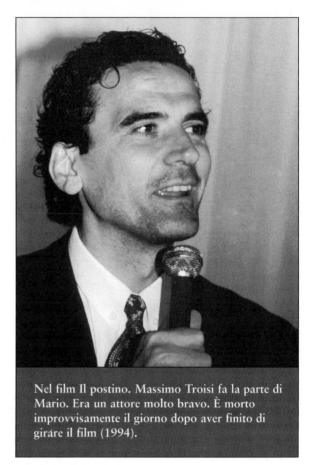 Massimo vive a Treviso nel Nord d'Italia con sua moglie e le figlie. Mario è il postino in un famoso film, e vive nell'isola di Lipari vicino alla Sicilia.

Ascolti Massimo e sua moglie che parlano della qualità della vita e trovi nella conversazione le espressioni che corrispondono a:

– ogni mese ....
– certo non ne resta molto ....
– sono abbastanza soddisfatto ....
– persone che vivono peggio ....
– un buono stipendio ....
– abbiamo abbastanza soldi ....

Scriva sei frasi sul postino di Treviso.

ⓑ Secondo voi il postino e sua moglie sono contenti della qualità della loro vita? Parlatene utilizzando le espressioni sopra.

ⓒ Il lavoro di Massimo è cambiato. In che modo? Ascolti e completi.

1 Ultimamente il lavoro del postino non è più …
2 Non c'e più il tempo …
3 Quello che conta è …
4 Bisogna …
5 La posta va …
6 La maggior parte delle lettere sono …
7 La gente ormai …
8 Forse perché …
9 Ogni giorno vanno recapitati …
10 Per alcuni gruppi la posta è …

ⓓ E lei? Il suo lavoro è cambiato ultimamente? Pensi a tre cose che non si fanno più e a tre cose che vanno fatte ogni giorno nel suo lavoro. Confronti con un compagno.

Nel film Il postino. Massimo Troisi fa la parte di Mario. Era un attore molto bravo. È morto improvvisamente il giorno dopo aver finito di girare il film (1994).

Che coincidenza!

Il postino Massimo è di Treviso.

Nel film, Massimo Troisi fa la parte del postino Mario.

alla Troisi:	nello stile di Troisi
la mole:	la massa
le confidenze:	i fatti personali
recapitare:	consegnare
gli extracomunitari:	immigrati non europei

'Le lettere vanno consegnate': devono essere consegnate

andare + *participio passato*: *must be done*

e 📖 🖊 Guardi queste scene dal film *Il Postino* e legga la sua storia. Benchè facesse il postino anche lui, la vita di Mario era molto diversa da quella di Massimo. Dove viveva? Com'era il suo lavoro? Cosa faceva ogni giorno? Cosa desiderava? Con chi, o che cosa, era in contatto? Scriva un paragrafo su di lui usando l'imperfetto. (Attenzione: i verbi delle didascalie sono al presente.)

Figlio di pescatori. Mario, futuro postino, vive solo con il vecchio padre su un'isola del sud. Nel suo villaggio è uno dei pochi che sa leggere e scrivere. Un giorno sente che il poeta cileno Pablo Neruda verrà in esilio nella sua isola. Siamo negli anni trenta.

Portalettere. Sull'isola c'è una sola possibilità di lavoro per lui: il portalettere con bicicletta. Mario accetta e il telegrafista gli comunica che dovrà portare la posta a una sola persona: Pablo Neruda, il poeta cileno 'cantore del popolo e dell'amore.'

La prima uscita. Comincia la grande avventura del postino che aspira a diventare poeta. Ogni mattina Mario pedala su per salite e stradine fino alla casa isolata a picco sul mare dove il poeta vive con la moglie Matilda.

Confidenze. Mario e il poeta cominciano a parlare. Quando Mario gli confida di essere innamorato di Beatrice, la bella barista del paese, e gli chiede una poesia d'amore per lei, Neruda vuole conoscerla. Oltre alle confidenze, Mario e il poeta si scambiano anche regali: bottiglie di vino, libri e agende.

f 💬 Confrontate la storia dei due postini e decidete chi ha, o aveva, la migliore qualità della vita.

Per esprimere la vostra opinione usate

Penso che sia ... abbia ... faccia ... perché ... (presente congiuntivo v. pagina 129)

es:

Penso che Massimo sia un bravo postino.

g 👫 📖 **Per saperne di più**

Studente A: Lei vuole sapere come va a finire la storia del postino nel film. Chieda a Studente B e prenda appunti.

Studente B: vada a pagina 175.

11 Viaggio alla rovescia

a 📖 👫 💬 Guardi i titoli, le foto e il primo paragrafo. Con un compagno parli di

- Cosa sta succedendo in Italia
- Come lo spiegano gli economisti
- I sentimenti della gente

Viaggio alla rovescia

Prezzi troppo alti, poche case ... Nord addio, si torna al Sud

È un viaggio senza delusioni e senza rimpianti, un dietrofront deciso verso la propria terra d'origine, con la chiara coscienza che stavolta si torna indietro per conservare qualcosa: il proprio post nella classe media da cui il Nord, sempre più caro, rischia di sfrattarti. Lo dicono gli economisti: in meridione la vita costa, in media, dal 20 al 30 per cento in meno rispetto alle grandi città del Nord. Perché sì, al Sud si sta meglio, e se si riesce a tornare non si riparte più. Qualche decennio fa poteva sembrare un paradosso, oggi è invece una tendenza piuttosto diffusa.

Enrico Pace ha 41 anni, è contabile e sua moglie Adele fa la maestra elementare. Hanno due bambini, Luca 9 anni e Claudia 5. A luglio si sono trasferiti da Settimo Torinese al paese di Lanciano, in Abruzzo. Una scelta difficile ma convinta.

'Eravamo al Nord da 16 anni' – racconta Enrico, che per diventare un emigrante alla rovescia ha dovuto accettare un grande sacrificio, cioè il cambio del lavoro – 'A Settimo ero insegnante di educazione fisica, una passione giovanile, un mestiere vivo, bellissimo, sempre vicino ai ragazzi. Per anni ho chiesto il trasferimento in Abruzzo – niente da fare. Così sono diventato contabile e ho trovato lavoro a Lanciano. Un ufficio chiuso e un

computer hanno preso il posto della palestra. All'inizio è stato molto difficile, volevo scappare – poi ha prevalso il buon senso, anzi il senso di responsabilità che ogni padre deve avere. Perché a Lanciano si vive meglio che a Settimo e si spende meno.'

Enrico guadagna circa due milioni al mese, la moglie un milione e ottocentomila. Sebbene non abbiano grossi problemi (non li avevano neppure al Nord) tuttavia le differenze sono sensibili. 'A Lanciano non abbiamo spese d'affitto perché viviamo nella casetta di mio padre. Il riscaldamento, nei pochi mesi in cui serve, ci viene a costare 50-60.000 lire, mentre a Settimo spendevamo due milioni l'anno di gasolio, cioè 170.000 al mese. L'alloggio ci costava 470.000 lire al mese, ed era un piccolo

appartamento; qui invece abbiamo spazio, un giardino, l'orto e l'uliveto.'

Si intravede un'Italia magari nascosta ma serena, una provincia con meno servizi e meno pretese economiche dove però si risparmia, in media, il 30%. 'Il cibo cosa un po' meno, la verdura ce la portano i suoceri. In pizzeria non si spende mai più di 40-50.000 lire in quattro – a Torino ci costava il doppio. Se volevamo uscire la sera, bisognava pagare la babysitter 10.000 lire l'ora, quarantamila per una sera. Qui invece i bambini stanno con la nonna o con le zie. È chiaro che alla fine del mese il bilancio risponde, si riesce a risparmiare di più'. Tuttavia c'è un conto in rosso, e sono le spese di transporto: 'A Lanciano siamo costretti a muoverci con due macchine perché le distanze tra casa e lavoro sono maggiori rispetto a Settimo e i servizi pubblici sono insufficienti, con poche corse d'auto e poche linee. Il trasporto ci costa mezzo milione, ma ci rendiamo conto che non si può avere tutto.'

'Siamo felici della nostra scelta – aggiunge Adele – benché sia troppo presto per un giudizio definitivo. È ovvio che non esistono solo vantaggi. Qui per esempio c'è un unico ospedale e tuttavia non si aspetta tanto, mentre a Torino si può scegliere, ma le liste di attesa sono più lunghe. Mi si stringe il cuore a portare mio figlio a una scuola vecchia e umida, un ex-convento, e solo due scuole nella zona hanno la palestra. Ma poi ti accorgi che le maestre sono più disponibili, più attente ai ritmi degli studenti, e allora chiudi un occhio.'

(Vocabolario a pagina 126)

123

ⓑ 📖 ✎ Legga l'articolo e risponda:

1 Perché la famiglia Pace ha lasciato il Nord?
2 Per quanto tempo hanno vissuto a Settimo Torinese?
3 Che lavoro faceva Enrico? Che lavoro fa adesso?
4 Che problemi ci sono a Lanciano?
5 Torneranno a vivere al Nord?

ⓒ ✎ **Linguaggio figurato**

Avete notato?
Mi si stringe il cuore (*my heart sinks*)
Chiudi un occhio (*turn a blind eye*)

Le parole del corpo danno origine a moltissime espressioni idiomatiche. Usando il dizionario, trovi delle espressioni dello stesso tipo con *occhio*, *mano*, *denti*, *fegato* e faccia frasi.

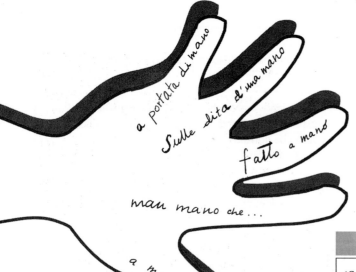

ⓓ ✎ L'articolo dice:
Sebbene non abbiano molti problemi, le differenze sono sensibili (*Although they don't have many problems, the differences are noticeable*)

Seguendo questo modello, unisca le frasi con *benché* o *sebbene* e il congiuntivo:

1 In provincia ci sono meno servizi – però si spende meno.
2 Senza dubbio si risparmia – tuttavia c'è un conto in rosso.
3 I trasporti costano parecchio – ma non si può avere tutto.
4 È troppo presto per un giudizio – tuttavia sono felici della loro scelta.
5 A Torino si può scegliere l'ospedale – però bisogna aspettare di più.
6 La scuola è vecchia e umida – però le maestre seguono meglio i bambini.
7 Sono convinti di aver fatto bene – ma è stata una scelta difficile.
8 Sembra un paradosso – invece oggi è una tendenza diffusa.

Avete notato?

'**Sebbene** non **abbiano** molti problemi, le differenze sono sensibili.'

Per esprimere una riserva:

sebbene
benché   (*although*)   + *congiuntivo*
per quanto

e 📖 ✍ Rilegga e completi il bilancio della famiglia Pace sia al Nord che al Sud nei riquadri sulla cartina.

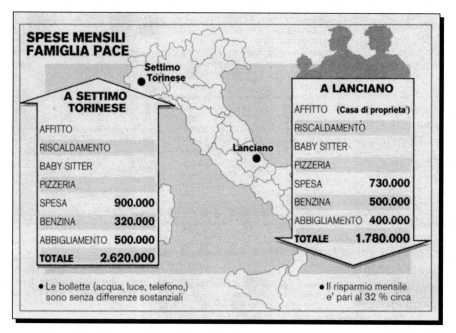

SPESE MENSILI FAMIGLIA PACE

Settimo Torinese

Lanciano

A SETTIMO TORINESE

AFFITTO	
RISCALDAMENTO	
BABY SITTER	
PIZZERIA	
SPESA	900.000
BENZINA	320.000
ABBIGLIAMENTO	500.000
TOTALE	**2.620.000**

A LANCIANO

AFFITTO (Casa di proprieta')	
RISCALDAMENTO	
BABY SITTER	
PIZZERIA	
SPESA	730.000
BENZINA	500.000
ABBIGLIAMENTO	400.000
TOTALE	**1.780.000**

● Le bollette (acqua, luce, telefono,) sono senza differenze sostanziali

● Il risparmio mensile e' pari al 32 % circa

f ✍ 💬

Studente A: Signor Pace. La scuola dei suoi figli le ha chiesto di preparare una breve presentazione agli altri genitori sui vantaggi e svantaggi della vita a **Settimo Torinese.**

Studente B: Signora Pace. Deve parlare a un gruppo di genitori sui pro e i contro della vita a **Lanciano** dal suo punto di vista. Prepari una breve presentazione con esempi pratici.

Parlando, usate *sebbene*, *benché* e il congiuntivo.

Espressioni utili:

dal mio punto di vista
per quel che mi riguarda
per quel che riguarda ... (il cibo ... la scuola ... ecc)

g 👥 💬 **Discussione generale**

Scegliete un argomento e discutete:

- Esiste un 'Nord' e un 'Sud' nel vostro paese? Spiegate le differenze.

- Se poteste scegliere tra Nord e Sud, dove preferireste andare a vivere e perché?

Per casa ✍

Scrivete 250 parole sull'argomento.

- **Parole** ✍ Usi il dizionario per ampliare il suo vocabolario. Dal verbo trovi il sostantivo:

scegliere	*scelta*	viaggiare	......
sfrattare	*sfratto*	ritornare	......
spendere	......	attendere	......
trasferire	......	guadagnare	......
sperare	......	risparmiare	......

alla rovescia	*back to front*
rimpianto	*regret*
dietrofront	*about turn*
sfrattare	*to evict*
diffuso/a	*widespread*
trasferirsi	*to move (house, job)*
contabile	*accountant*
buonsenso	*commonsense*
delineare	*to outline*
sommerso/a	*hidden*
presentare domanda	*to apply (formally)*
bolletta	*monthly bill*

12 Un po' di storia

a 📖 Nel linguaggio storico-scientifico ci sono molte parole di origine latina che sono comuni a molte lingue europee. Questo rende la lettura più facile. Le sottolinei mentre legge la pagina 127.

Meridione/	*the South (as*
Mezzogiorno	*socio-economic entity)*
meridionali	*southerners*
settentrionali	*northerners*
divario	*gap*
colmare il divario	*to bridge the gap*
magari	*possibly*

b 📖 ✍ **Il divario Nord-Sud**: decida se vero o falso:

1 Un terzo della popolazione italiana vive nel Sud.
2 La geografia del Sud ha contribuito al suo isolamento.
3 In passato la Chiesa ha avuto meno potere nel Sud che nel Nord.
4 L'Unità d'Italia è stata compiuta nel diciannovesimo secolo.
5 L'unificazione economica e culturale è riuscita solo in minima parte.
6 Il nuovo Stato Italiano non ha fatto nessuno sforzo per colmare il divario.
7 La Cassa del Mezzogiorno è una banca di Milano.
8 La situazione è migliorata negli anni '90.
9 Al Nord si è cominciato a parlare di secessione.

Il divario Nord-Sud

Il Meridione – o Sud, o Mezzogiorno – è costituito da sei regioni: Campania, Puglia, Basilicata, Calabria, Abruzzo e Molise, e dalle due isole Sicilia e Sardegna. Il Meridione costituisce il 40% del paese e ha il 30% della popolazione. È sempre esistito un divario nel grado di sviluppo tra Nord e Sud. Le ragioni di questo divario sono diverse.

La parte meridionale della penisola italiana è molto montuosa, e non c'è dubbio che questo fatto abbia causato difficoltà nelle comunicazioni e nei commerci con il resto del paese. Anche la mancanza d'acqua è sempre stata un problema. Storicamente, il Feudalesimo si è affermato nel Meridione quando cominciava a declinare nel resto d'Europa. Inoltre, fin dal XIII secolo e dalle lotte tra Papato e Impero, l'influenza della Chiesa è sempre stata più forte nel Sud che nel Nord.

Al momento dell'Unità d'Italia (1860), questi due mondi sono stati unificati. Ma rimanevano profonde disuguaglianze tra il Sud rurale e il Nord più progredito. Nel 1860 per esempio l'analfabetismo era ancora molto alto nel Sud. Le differenze erano non solo socio-economiche ma anche culturali e psicologiche.

Sebbene siano stati fatti molti tentativi per superare le disuguaglianze, non hanno avuto molto successo. Nel 1950 è stata creata la 'Cassa del Mezzogiorno', che obbligava le grandi industrie a investire una percentuale del proprio capitale nel Sud. Ci sono stati molti interventi, senza però riuscire a colmare il divario.

L'integrazione del Mezzogiorno non è ancora veramente compiuta. Si può dire anzi che oggi, all'inizio del 2000, il suo isolamento sia ancora più grave. Cresce infatti al Nord la protesta per l'ingente spesa di denaro pubblico nel Meridione senza gli effetti desiderati. E in Lombardia negli anni '90 è nato un movimento detto 'La Lega Lombarda', che propone addirittura il distacco istituzionale tra Nord e Sud e magari un'Italia federalista.

S.D.

c ✍ Il divario Nord-Sud: Faccia uno schema delle cause e conseguenze.

d ✍ Scriva quattro frasi sul divario Nord-Sud iniziando con le espressioni sotto.

es:

Non c'è dubbio che ci sia un divario.

Se vuole può usare le frasi di **b**.

Da notare

Con queste espressioni si usa il congiuntivo

non c'è dubbio che	*there is no doubt that*
sembra che	*it seems that*
(non) si può dire che	*you can (cannot) say that*
non è che	*it isn't that*

(vedi pagina 201)

ESPRESSIONI UTILI

Per parlare di percentuali

l'uno per cento
lo 0,3 per cento
è salito del 10%

Punti di vista

dal mio punto di vista
per quel che mi riguarda
per quel che riguarda il/la ecc.

Per esprimere una riserva

sebbene
benché + *congiuntivo*
per quanto

Altre espressioni che richiedono il congiuntivo

non c'è dubbio che ...
non si può dire che ...
non è che ...
sembra che ...

Grammatica

1 L'imperfetto

-ARE	-ERE	-IRE	-IRE (-isc)
parlavo	temevo	partivo	finivo
parlavi	temevi	partivi	finivi
parlava	temeva	partiva	finiva
parlavamo	temevamo	partivamo	finivamo
parlavate	temevate	partivate	finivate
parlavano	temevano	partivano	finivano

L'imperfetto si usa per:

descrivere le cose nel passato:
  Si **vedevano** poche macchine 50 anni fa.

descrivere uno stato fisico o mentale nel passato:
  Era un uomo coraggioso.
  Da piccola **aveva** i capelli lunghi.

descrivere un'azione abituale nel passato:
  Portava spesso il lavoro a casa.
  Andavano sempre al mare l'estate.

Imperfetto irregolare

Pochi verbi sono irregolari all'imperfetto:

essere: ero, eri, era, eravamo, eravate, erano
fare: facevo, facevi
dire: dicevo, dicevi

2 Percentuali

Nelle percentuali è necessario l'articolo **il, l', lo** di fronte al numero. Nei decimali c'è una virgola (,):

  il tre per cento: 3%
  l'otto per cento: 8%
  l'uno virgola 5 per cento: 1,5%
  lo zero virgola 5 per cento: 0,5%

Si usa **del, dello, dell'** per indicare il valore della percentuale:

  uno sconto **del** tre per cento

Il prezzo del vino è sceso **dell'**uno %
C'è stato un aumento **dello** 0,8%

3 Il presente storico

Per rendere un racconto più vivo a volte si usa il presente anche per storie o azioni che si riferiscono al passato.

  Siamo nel 1969. Il primo uomo **mette** piede sulla luna.

4 Il congiuntivo (v. anche Unità 2, 4, 5)

subjunctive

-ARE	-ERE	-IRE	-IRE (-isc)
canti	scriva	dorma	finisca
canti	scriva	dorma	finisca
canti	scriva	dorma	finisca
cantiamo	scriviamo	dormiamo	finiamo
cantiate	scriviate	dormiate	finiate
cantino	scrivano	dormano	finiscano

Il congiuntivo presente dei verbi irregolari si forma dalla prima persona del presente indicativo, cambiando -o in -**a**:

  venga, vada, legga, ecc.

Dopo il **superlativo relativo** si usa il congiuntivo:

  Forse è il libro più bello che **abbia** mai letto.
  È il film più noioso che **abbia** mai visto.

Con queste **congiunzioni** si usa il congiuntivo nella frase dipendente: **sebbene, benché, per quanto:**

  Sebbene **sia** pigro, è amante degli sport
  Benché si **vogliano** bene, litigano
  Per quanto **costi** molto, quella macchina avrà successo

Espressioni negative, o di dubbio e possibilità, introducono il congiuntivo nella frase secondaria:

  Non c'è dubbio che sia sincero.
  Non si può dire che sia un film divertente.
  Non è che piova, è solo grigio.
  Sembra che in Italia in caldo **sia** diminuito.

Come facevano prima?

Chi, o che cosa, ha influito di più sulla storia
degli ultimi mille anni? Discutete.

(Date e secoli a pagina 131.)

- Uso del passato
- Raccontare una storia, un incidente
- Opinioni su azioni passate
- Altri consigli

Edison **ha inventato** la lampadina
(a un dato momento: *Passato prossimo*)
Come **vivevano** senza elettricità?
(sempre, di solito: *Imperfetto*)

Galileo Galilei

Albert Einstein

Televisione

Elettricità

Automobile

Penicillina

Cristoforo Colombo

Neil Armstrong

Karl Marx

Sigmund Freud

La Rete

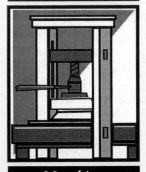
*Macchina
tipografica*

(A) Che è successo?

1 Tutto a un tratto …

a Legga questo brano da *Agostino* di Alberto Moravia e sottolinei il passato prossimo.

Salivano sul patino. Agostino prendeva i remi e lo spingeva al largo. Quando si trovavano a gran distanza dalla riva, la madre diceva al figlio di fermarsi, si metteva la cuffia di gomma e scivolava in acqua. Agostino la seguiva. Ambedue nuotavano intorno al patino abbandonato, parlando lietamente con voci che suonavano alte nel silenzio del mare piatto e pieno di luce. Finito il bagno, risalivano sul patino e la madre guardando intorno al mare calmo e luminoso diceva: 'Come è bello, vero?' Una mattina erano sulla spiaggia sotto l'ombrellone e aspettavano la solita gita in barca. Tutto a un tratto, tra Agostino e il sole è apparsa l'ombra di una persona in piedi …

Quanti verbi ha trovato al passato prossimo? Spieghi perché.

b Ascolti una lettura del brano. Senza leggere, scriva quattro frasi su Agostino al mare.

nel 1492	*in 1492*
nel Trecento	*in the 14th century*
nell'Ottocento	*in the 19th century*
negli anni venti/ trenta/quaranta	*in the twenties/ thirties/forties*
nel Duemila	*in the 21st century*

I secoli sono a pagina 186.

il patino	*type of rowing boat*
i remi	*oars*
al largo	*out to sea*
la cuffia di gomma	*swimming-cap*
scivolare	*to slip*
ambedue	*both*
lietamente	*happily*
tutto a un tratto	*all of a sudden*

c Legga e allo stesso tempo ascolti alla radio questa notizia dal *Corriere della Sera* e sottolinei l'imperfetto.

Quanti verbi ha trovato all'imperfetto? Spieghi perché.

Fulmine sull'aereo, paura per 38 liceali milanesi

Avventuroso ritorno dall'Inghilterra dopo un soggiorno di studio

Rientro traumatico da un viaggio di studio per 38 liceali l'altra sera sul volo Air UK 920 da Londra per Linate. 'Alle 14, mentre aspettavamo di decollare sotto un temporale – racconta Greta Calcinati, 17 anni, studentessa – si sono spenti contemporaneamente i motori e le luci del corridoio, e l'aereo è stato invaso dalla puzza di fumo e di carburante. Le hostess hanno cominciato a comunicare tra di loro con i telefoni e sono impallidite. Quindi il comandante ha ordinato di abbandonare immediatamente l'aereo e di allontanarsi il più velocemente possibile. Tutti abbiamo pensato a una bomba. A terra c'erano già i camion dei pompieri.' Più tardi i passeggeri hanno saputo che uno dei motori era stato colpito da un fulmine. La comitiva è stata quindi imbarcata su un charter per il rientro in Italia. Ma il bello doveva ancora cominciare.

d Completi la storia dell'aereo con i verbi che mancano. Sono tutti allo stesso tempo, o passato prossimo o imperfetto:

arrivare; *finire*; *cadere*; *fare*; *volare* (non nell'ordine)

'A un certo punto infatti – racconta Cristina di Nardo, anche lei studentessa – il comandante ....(1).... allacciare le cinture a causa di fortissime turbulenze; e dopo circa mezz'ora di 'ballo', all'improvviso l'aereo ....(2).... giù di punta, tra le urla di tutti. La hostess ....(3).... in aria e i vassoi con i pasti ....(4).... sul soffitto e su di noi.' L'aereo ....(5).... a Linate con quattro ore di ritardo.

e  Senza leggere.

Riascolti. Faccia un riassunto della notizia in trenta parole.

2 Il tenente Kiss

In seguito all'omicidio della signora Milesi, il tenente Kiss interroga il vicino della signora.

a 📖 ✏️ Completi i fumetti con verbi o all'imperfetto o al passato prossimo come nell'esempio:

es:

Stavo facendo il mio quotidiano bagno bollente, quando **ho sentito** voci concitate.

Un particolare insospettisce il Tenente Kiss. Quale?

(Soluzione a pagina 180.)

Stavo + *gerundio, invece del semplice imperfetto, serve a dare il senso della durata.*

ⓑ ✍ Descriva allo stesso modo queste altre situazioni:

es:

Stavo entrando in casa quando ho visto un tipo strano.

3 Mentre, appena, quando

✍ Completi:

1 .... ho fatto questa foto, stavamo tornando da Portofino.
2 Li abbiamo visti .... uscivano dal cinema.
3 .... ha capito che non diceva la verità, lo ha fatto subito arrestare.
4 Stava sciando a grande velocità .... è caduto e si è rotto una gamba.
5 C'è stato uno sciopero .... era in corso la campagna elettorale.
6 .... è entrato il ministro, tutti hanno smesso di parlare.
7 Ha telefonato la tua amica Roberta .... tu eri fuori a fare spese.
8 Stavano facendo un bel picnic .... è scoppiato un temporale.

4 Il primo amore

ⓐ 📖 ✍ Quali sono i sentimenti che si associano con il primo amore secondo lei? Scelga o aggiunga alla lista:

avventura   ossessione   sogni   affetto infatuazione   entusiasmo   mistero

📖 💬 Legga l'annuncio di questo concorso. Dica al compagno che cosa devono fare i lettori che vogliono partecipare e perché. Vedi anche pagina 176.

> ### È vero che il primo amore non si scorda mai?
>
> *Dacia Maraini, Alberto Sordi, Monica Vitti e altri lo ricordano come se fosse ieri. E voi? Raccontatelo al nostro concorso letterario: a giugno i vostri ricordi saranno raccolti in un libro.*

ⓑ 📖 Legga i racconti di Dacia, Alberto e Monica. In ognuno c'è un episodio per loro indimenticabile. Sottolinei l'immagine chiave.

Batticuore e febbre in Giappone

Si chiamava Francois ed era il mio compagno di giochi. Avevamo tutti e due sei anni e tutti e due vivevamo in Giappone. Un giorno si è ammalato, aveva la febbre altissima: pensavo che morisse. Ricordo perfettamente un pentolino che bolliva sul fuoco, lui sdraiato sul letto, io che lo guardavo. I bambini sono capaci di grandi sentimenti, provano emozioni profonde che rimangono indelebili nella memoria. Quello per me è stato un amore vero.

Dacia Maraini

Il piccolo Tarzan e la sua Jane

Avevo appena sei anni e già facevo Tarzan per conquistare Emea: una bimba dai lunghi boccoli neri. Cantavamo insieme alla recita scolastica, muovendo le manine. Ma lei niente – amava Di Toro, un altro compagno di classe, un asso in ginnastica. E così, per non essere da meno, una sera sono uscito di nascosto di casa, sono andato davanti alle sue finestre e mi sono arrampicato su un ramo. Volevo dimostrarle di essere forte come Tarzan, ma sono cascato per terra con tutta la faccia sanguinante. Lei non se n'è nemmeno accorta (mia madre sì!)

Alberto Sordi

Monica Vitti

Due piccoli cuori divisi dalla guerra

C'era la guerra e vivevamo in Sicilia. Avevo otto anni ed ero già innamorata pazza di Giuliano, un bambino di nove. Quando i miei mi hanno detto che dovevamo tornare a Roma, sono scesa di corsa sotto casa: lui mi aspettava vicino alla fontana. Ci siamo stretti la mano sotto l'acqua che scorreva, dicendo che non ci saremmo mai dimenticati e che da grandi, una volta finita la guerra, ci saremmo rivisti. Chissà com'è diventato oggi. E dov'è ora. Posso approfittare per lanciare un appello? Giuliano, se anche tu ti ricordi di me, cercami.

il batticuore	heart flutter
pentolino	small saucepan
provare qualcosa	to experience, to feel
boccoli	long curls
la recita scolastica	the school play
un asso	a champion
per non essere da meno	not to be outdone
sanguinante	bleeding
stringer(si) la mano	to hold hands,
chissà	who knows

Avete notato?

'dicendo che **non ci saremmo mai dimenticati** e che da grandi **ci saremmo rivisti**' (p.138)

Per il futuro nel passato si usa il condizionale passato, v. pagina 199.

c Alberto dice di Emea: 'Una bimba **dai lunghi boccoli neri**'. Come si ricordano le persone? Colore di occhi e capelli, statura, mani, …

Con l'aiuto del dizionario descriva tre persone nello stesso modo. (vedi anche Unità 2)

una persona	**dagli** occhi verdi
	dall'aria simpatica
	dai modi cortesi

d Lo amava già da sei anni.
Scelga *lo* o *la*, *gli* o *le*, *lui* o *lei* e completi:

Dacia era innamorata di Francois: ..... amava già a sei anni. ..... ricorda che ..... guardava sdraiato sul letto con la febbre altissima. Alberto amava Emea e ..... voleva conquistare. Ma lei non ..... amava, amava un altro. Alberto ..... voleva dimostrare di essere forte come Tarzan. Monica aveva un amico, Giuliano, ed era innamorata di ..... Quando i suoi genitori ..... hanno detto che doveva partire, lei ..... ha chiesto di incontrarsi alla fontana.

e Gruppi di tre. Avete cinque minuti per preparare ognuno una storia (Dacia, Alberto, Monica): dovrete raccontarla agli altri in 3a persona al passato. Seguite questa traccia:

| situazione |
| episodio chiave |
| conseguenze |

Per casa o in classe

Pensi al 'primo amore' (suo o di altri) e lo racconti a un compagno. A casa, scriva la sua storia per il concorso. Usi un po' di immaginazione! La verità qui non è importante.

5 Adesso ti racconto una cosa che mi è successa

Prima di ascoltare: sapete già il nome di questi oggetti?

ⓐ Prima parte

- 🎧 **La situazione.** Ascolti **brano a.**

Che giorno era?
Dov'era la villa?
Com'era?
Chi ci abitava?
Che tipo era il nipote?
Quanti erano gli invitati?
Com'erano?
Che cosa portava Pina?
Com'era il vassoio del tè?

- 🎧 **Gli eventi.** Riascolti.

Cos'è successo finora? (due cose)
Cosa sta per succedere? (una cosa)

    (i)   Sta per squillare il telefono.
    (ii) Sta per arrivare una banda di ladri.
    (iii) Una delle signore sta per avere un attacco di cuore.
    (iv) Sta per scoppiare un incendio.

ⓑ Seconda parte:

- 🎧 Prima di ascoltare. Che rumori sono questi?
Li indichi con una freccia:

un tramestio   suono sordo di qualcosa che cade

un tonfo   grido forte e prolungato

un urlo   voci agitate

voci concitate   movimento continuo e disordinato

- 🎧🎧 Ascolti **brano b** e risponda:

Che cosa hanno visto le signore nell'altra stanza?
Che cosa ha fatto Pina? (tre cose).
Scriva le parole chiave.

- 🎧🎧 Riascolti e rimetta insieme le frasi **1–8** e **a–h** secondo il senso del racconto.

es:

1c Mentre giocavano a carte hanno sentito un rumore in cucina.

1 Mentre giocavano a carte
2 Quando hanno aperto la porta
3 Hanno visto un bandito che
4 Trovandosi dietro il tavolo
5 Il bandito voleva portarla di là
6 Mentre era stesa per terra
7 Sul pavimento della stanza
8 Quando nessuno la vedeva

a teneva la pistola puntata.
b ha nascosto la collana sotto il tappeto.
c hanno sentito un rumore in cucina.
d ha sentito le campane del convento.
e faceva un freddo da morire.
f Pina ha fatto cadere l'anello col brillante.
g la vecchia signorina era ferita per terra.
h ma Pina ha fatto finta di svenire.

far finta di niente	*to pretend nothing is happening*
star zitti	*to keep quiet*
appoggiare qc	*to rest sthg (on sthg)*
sfilarsi qc	*to take off*
mollare	*to let go (colloq.)*
radunare	*to group, gather*
non darsi pace	*not to resign oneself*

c Terza parte:

- 🎧 ✍ Ascolti la conclusione del racconto (**brano c**) e risponda alle domande del giornalista come nell'esempio.

es:

E l'argenteria? (portare via): l'hanno portata via

1 E i gioielli?	(*prendere*)
2 E le borse?	(*svuotare*)
3 E le giocatrici?	(*chiudere nel gabinetto*)
4 E la casa?	(*lasciare nel caos*)
5 E i soldi?	(*prendere*)
6 E la vecchia signorina?	(*buttare per terra*)
7 E il nipote?	(*picchiare*)
8 E l'anello col brillante?	(*Pina: lasciar cadere*)
9 E la collana?	(*Pina: nascondere*)
10 E la polizia?	(*qualcuno: chiamare*)

> Nei tempi composti con il verbo **avere** il participio passato si accorda con i pronomi personali **lo, la, li, le**:
>
> es: La telefonata, l'ho già fatta
> I giornali, non **li** ho ancora letti
>
> (v. p.195)

```
participio passato irregolare

chiudere      chiuso
prendere      preso
nascondere    nascosto
```

d ✍ Noti le espressioni enfatiche usate da Pina. Scelga la spiegazione giusta:

stretti come le sardine	magri come pesci
uno sopra l'altro
quatti quatti	in punta di piedi
come gatti
morti di paura	così spaventati che
sono morti
molto spaventati
l'ira di Dio	punizione divina
caos

Avete notato?

All'inizio della sua storia, Pina dice: 'Ero appena diventata nonna'.

In una storia al passato, per indicare un'azione precedente a quella principale si usa il trapassato prossimo (v. pagina 142, 196).

*Imperfetto di **avere/essere** + participio passato:*

avevo sentito
eravamo andati

Faccia quattro frasi con queste espressioni.

Quali altre espressioni consosce per esprimere affollamento, paura e disordine? Ne scriva tre.
Usi il dizionario se vuole.

6 Le indagini

👪 💬 Gruppi di quattro. Sono arrivati due carabinieri per le indagini.

L'ordine degli eventi:

Studente A (Carabiniere n1): Lei vuole sapere l'ordine degli eventi. Parli con Pina.

Cominci così: *'Può dirmi esattamente che cosa è successo? Cerchi di ricordare'.*

Studente B (Pina): Si basi sul testo a pagina 177. Usi espressioni idiomatiche dove possibile.

Le descrizioni:

Studente C (Carabiniere n2): Lei vuole sapere: che ora era, chi erano le giocatrici, quanti erano i banditi, com'erano, dov'erano la signorina e il nipote, se le signore avevano gioielli, se c'era argenteria, com'era la casa quando sono uscite dallo stanzino, ecc. Parli con Elisa, la padrona di casa.

Studente D (Elisa): Si basi sul testo a pagina 177, e per le descrizioni di una persona su 4c, pagina 136.

In classe

💬 Le è mai successa una cosa simile? Che cosa stava facendo quando è successa? Ne parli con gli altri.

🖎 A casa scriva il racconto della sua avventura.

Da notare

Per raccontare

Inizi il racconto con il tempo, il luogo e i precedenti:
   un anno fa
   la settimana scorsa
   ieri
   ero appena arrivato a…
   avevo appena finito di…

Spieghi la situazione, cosa stava facendo:
   quando
   a un certo momento
   all'improvviso
   ero a … mi trovavo in … andavo a …
   stavo parlando con …

Dica che cosa è successo esattamente:
   ho visto … ho sentito …
   è arrivato … sono arrivati …

Descriva la scena e i sentimenti:
   era una scena incredibile
   io ero … avevo …

Spieghi che cosa ha fatto di conseguenza a concluda la storia.
   allora
   a questo punto
   di conseguenza …

Per casa 🖎

'Tutti volevano raccontare la loro versione degli eventi…' Scriva quello che direbbero (un paragrafo ognuno):

   il nipote della signorina
   la signorina
   il bandito

7 Malaidina

📖 🖎 In questo romanzo contemporaneo Fiodor incontra
Malaidina. Il suo racconto è al presente per maggiore
immediatezza. Lo metta al passato. Cerchi di non usare il
dizionario.

es:

Ieri pomeriggio sono uscito dalla MultiCo. La strada e le macchine
erano allagate…

Un pomeriggio esco dalla MultiCo. La strada e le macchine sono allagate di
pioggia, luccicano nel semibuio delle cinque. Apro l'ombrello, comincio a
camminare verso casa con passo rapido. Arrivo a un semaforo, mi fermo al
rosso e vedo Malaidina ferma all'altro lato della strada.

Ha una giacca di finta pelliccetta, del tipo di cui son fatti i piccoli orsi per
bambini. Ha un cappello da marinaio norvegese; ha uno sguardo da pioggia.
Aspetta il verde sul marciapiedi affollato di ombrelli, così chiara e nitida tra le
altre figure.

Le faccio un cenno, ma lei non mi vede perché sta guardando l'acqua che
scorre a rivoli appena oltre l'orlo del marciapiedi. Il semaforo cambia colore, la
gente si precipita avanti dai due lati della strada; le automobili si precipitano
parallele alla gente. Sto fermo dove sono, mi puntello sui piedi per resistere alle
spinte di quelli dietro di me, che mi passano da destra e da sinistra e si girano a
guardarmi con rabbia. Sto fermo finchè Malaidina mi arriva davanti. Le dico
'Ciao', le tocco una spalla; inclino l'ombrello per mostrarle la faccia…

(A. De Carlo, *Uccelli da gabbia e da voliera*)

finta pelliccetta	*fake fur*
fare un cenno	*to wave*
a rivoli	*streaming*
puntellarsi	*to stand firm*
una spinta	*a push*

Ora traduca il brano nella sua lingua.

8 Racconti minimi

Diventi scrittore e completi due di questi raccontini
(100 parole). Può lavorare insieme a un compagno se
vuole.

Queste frasi al trapassato prossimo potrebbero esserle
utili. Ne metta una in ogni storia al posto più adatto
prima di cominciare:

Avevo girato dovunque.

Devo dire che mi ero quasi addormentato

Avevo comprato tutto quello che mi serviva.

Avevo finito di leggere il giornale.
Da sotto l'ombrellone guardavo
la gente che passeggiava coi piedi
nell'acqua. A un tratto ho sentito una
voce che ho riconosciuto subito,
anche dopo tutti quegli anni. Mi
sono alzato con il cuore che mi
batteva e…

AVEVO APPENA PAGATO e
stavo mettendo le borse di
plastica nel carrello del
supermercato, quando una
donna bionda che non avevo
mai visto mi si è avvicinata e mi
ha messo fermamente in
braccio un…

Era uno di quei pomeriggi di
piombo di fine estate, l'aria era
ferma, le strade del paese erano
deserte. Dove erano finiti tutti?
Improvvisamente, da dietro i vetri
di una finestra della casa di fronte
una mano ha cominciato a …

(B) Basta con il Fumo

9

triplicare	to treble
danno	damage
invecchiamento	ageing

Il grande regista Federico Fellini era apertamente contrario al fumo.

L'ultimo suo film in cui si è visto un personaggio che fuma è stato il film *8¹/₂* in cui Marcello Mastroianni, nella parte di un regista nevrotico, in preda a una crisi di ispirazione, accendeva una sigaretta dopo l'altra.

'Personalmente considero il fumo dannoso, inelegante, datato e anche sciocco. Inoltre, dato che nelle sale cinematografiche è vietato fumare, perché far vedere una persona che fuma?' spiegava Fellini.

La condanna di Fellini è stata importante, perché proprio il cinema è stato il mezzo più diffuso di propaganda della sigaretta. I divi come Humphrey Bogart, con l'eterna sigaretta in bocca, per molti giovani sono sempre stati un modello da imitare, per sentirsi più

In Italia più del 30% delle persone al di sopra dei 15 anni fuma. Oltre l'11% dei fumatori è compreso fra i 14 e i 17 anni.

indipendenti e più sicuri di sé.

Purtroppo, in Italia oltre l'11% dei fumatori sono ragazzi tra i 14 e i 17 anni. Già da tempo si pensava che il fumo facesse male, ma ora non ci sono più dubbi.

'È dimostrato che fumare più di un pacchetto di sigarette al giorno triplica la probabilità di morire di cancro' spiega il professor Leonardo Santi, esperto di tumori. 'Il fumo può provocare danni al cervello, con la possibilità di un ictus, danni alla circolazione, favorendo così l'arteriosclerosi, la caduta dei capelli, l'invecchiamento della pelle, gastriti e ulcere allo stomaco.' Inoltre il fumo danneggia non solo chi fuma, ma anche chi gli sta accanto.

Nella lotta contro il fumo, una recente proposta di legge elenca tutti i luoghi dove sarà proibito fumare. Tra gli altri: ospedali, servizi pubblici, palestre, luoghi di ricreazione (incluse discoteche), sale per congressi e conferenze, cinema, teatri, musei, negozi, ristoranti, bar, luoghi di lavori pubblici e privati, mezzi di trasporto pubblici (treni, aerei, autobus, tassì) e così via.

a ✍ Fellini considerava il fumo 'dannoso, inelegante, datato e sciocco'. Con l'aiuto del dizionario spieghi il significato degli aggettivi.

es:

dannoso vuol dire...

Trovi delle cose che secondo lei sono dannose, ineleganti, datate e sciocche.

b ✍ **Un test di memoria.** Senza guardare il testo scriva almeno cinque luoghi dove è proibito fumare. Controlli sul testo.

Scriva altri luoghi dove secondo lei non si dovrebbe fumare.

c ✍ Scriva i danni causati dal fumo in ogni riquadro della figura.

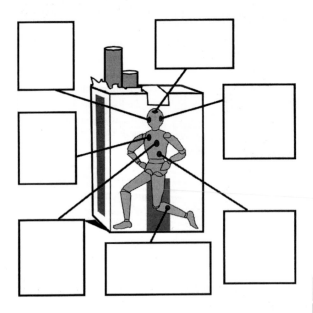

10 '... si pensava che il fumo facesse male'

a ✍ Tutte queste cose si pensavano già da tempo. Riscriva le frasi come nell'esempio.

es:

La dieta mediterranea è sana.
Già da tempo si pensava che fosse sana.

1 Troppo sole danneggia la pelle.
2 In Italia nascono pochi bambini.
3 Il clima sta cambiando.
4 L'aereo è il mezzo di trasporto più sicuro.

b ✍ Lei conosce Paolo da poco tempo. Gianni, che lo conosce da tanti anni, le dà le informazioni giuste.

es:

Paolo studia medicina. (*legge*)
Credevo che **studiasse** legge.

1 Vive a Piazza Verbano. (*Viale Maraini*)

2 Paolo parla benissimo cinese. (*giapponese*)

3 Paolo è fidanzato con Cinzia. (*Rossella*)

4 Paolo lavora all'Olivetti. (*Fiat*)

5 Gli piace la musica classica. (*il jazz*)

Da notare

Penso (*presente indicativo*)
che **faccia** male (*presente congiuntivo*)

Pensavo (*imperfetto indicativo*)
che **facesse** male (*imperfetto congiuntivo*)

11 Come pensa che abbiano smesso di fumare

ⓐ 🎧 ✎ Ascolti le interviste (1–3) con Giovanna, Anna e Piero e completi le frasi, usando il congiuntivo, come nell'esempio.

es:

Penso che Giovanna **abbia smesso** all'improvviso, una domenica.

1 Penso che **Giovanna** .... lunghe passeggiate.
2 Penso che .... facile.
3 Penso che **Anna** .... diverse volte e poi .... ricominciato.
4 Penso che .... un documentario e .... spaventata.
5 Penso che .... una sigaretta da più di un anno.
6 Penso che **Piero** .... un'infinità di volte.
7 Penso che .... riuscito e .... più cosa provare.

Lei ha mai provato a smettere di fumare? Come ha fatto?

ⓑ 📖 💬 ✎ Qualche consiglio utile per Piero.

Piero Vorrei tanto smettere di fumare. Ho provato tante volte e ancora non ci sono riuscito.

Anna Se fossi in te, proverei le nuove pastiglie alla nicotina … Non mi ricordo il nome … si comprano in farmacia. Oppure andrei dal dottore, ti consiglio il dottor Petrini, è bravissimo.

BASTA CON IL FUMO

Studente A: Lei è Piero. Chieda al dottor Petrini (Studente B) qual è modo migliore per smettere di fumare. Scriva i consigli del dottore e poi scelga quelli che le sembrano più interessanti e utili.

Studente B: Pagina 178. Lei è il dottor Petrini. Dia consigli a Studente A.

Da notare

Per dare un consiglio:

Se fossi (*congiuntivo imperfetto*) in te/lei, andrei (*condizionale presente*) dal dottore.

12 ♟♟♟ ○ Una breve presentazione

In gruppi discutete, preparate e fate una breve presentazione su uno dei tre argomenti:

- A che età e perché si comincia a fumare?
- Perché si deve smettere di fumare?
- Il modo migliore per smettere di fumare.

Per casa ✎

Scriva una lettera di protesta a un giornale. Se fuma scelga **a**, se non fuma scelga **b**.

a Per chi fuma

Per lei una sigaretta alla fine di un pasto, mentre beve il caffè è un grandissimo piacere. Ieri sera, mentre era al ristorante Ponte Vecchio con amici, le hanno proibito di fumare …

b Per chi non fuma

Lei ha smesso di fumare cinque anni fa e ora non sopporta il fumo, soprattutto mentre mangia. Ieri sera al ristorante Ponte Vecchio una persona al tavolo vicino ha cominciato a fumare …

Grammatica

1 I secoli

Tra l'anno 1100 e il 2000 i secoli sono indicati per brevità solo con le centinaia:

il duecento (1200–1300)
il trecento (1300–1400)
il cinquecento (1500–1600)
l'ottocento (1800–1900)
il novecento (1900–2000)
il duemila (2000–2100)

Si può anche dire 'nel tredicesimo secolo' (1200–1300) ma è più letterario.

2 Uso del passato

Attenzione a non confondere **passato prossimo** e **imperfetto**.

Si usa il **passato prossimo** per indicare eventi, quello che è successo a un dato momento (v. Unità 1, 2):

L'aereo **ha cominciato** a ballare.

Si usa l'**imperfetto** per descrivere situazioni, abitudini nel passato (v. Unità 6):

Il mare **era** calmo, **prendevano** il patino.

Per narrare, si usano tutti i due tempi, anche nella stessa frase:

Mentre **facevo** la doccia **ha suonato** il telefono.
Aspettavamo l'autobus quando è **arrivata** Marina.

Per sottolineare la durata nel passato: si usa l'imperfetto di **stare** + gerundio:

Stavo leggendo il giornale quando mi hai chiamato.
L'agenzia **ha telefonato** mentre **stavamo preparando** le valige.

3 Participio passato irregolare

È più facile ricordare i verbi irregolari se si raggruppano in 'famiglie'. Per esempio: il participio passato dei verbi irregolari in **-dere** e **-ndere** termina quasi sempre in **-so**:

chiudere	chiu**so**
prendere	pre**so**
ridere	ri**so**
tendere	te**so**
comprendere	compre**so**
accendere	acce**so**

ma NB:
rispondere	rispo**sto**
nascondere	nasco**sto**
chiedere	chie**sto**

4 Pronomi personali complemento
(3a persona)

Vanno sempre prima del verbo, eccetto all'imperativo:

Oggetto diretto: **lo, la, li, le.**

Lo vedo oggi. **La** ricordo benissimo.
Li incontro spesso.

Oggetto indiretto: **gli** (a lui), **le** (a lei).

Fabio > **gli** scrivo, Patrizia > **le** telefono.

Dopo una preposizione: **lui, le.**

Parlo con **lui**, lo faccio per **lei**.

Riflessivo, reciproco: **si.**

Carlo **si** annoia sempre.
Quei due **si** vogliono bene.

5 Accordo del participio passato

Nei tempi composti con l'ausiliare **avere**, il participio passato si accorda con i pronomi personali **lo, la, li, le**:

Quella telefonata, **l'**hai già fat**ta**?
Ho comprato i giornali, non **li** ho ancora let**ti**.

6 Il trapassato prossimo

Si usa per un'azione antecendente a quella principale, si usa il trapassato:

> imperfetto di **essere** o **avere** +
> participio passato.

Mi **ero** appena **seduta** al tavolo quando hai telefonato.
Avevamo finito di parlare e ci siamo salutati

7 Il congiuntivo imperfetto
(vedi anche Unità 6)

Se il verbo nella frase principale è al passato, si usa l'imperfetto congiuntivo.

Pensavo che il fumo **facesse** male.

o il piucheperfetto:

Pensavo che **avesse cominciato** da ragazzo.

Le desinenze del congiuntivo imperfetto sono

per i verbi in -**are**:

-assi, -assi, -asse, -assimo, -aste, -assero

per i verbi in -**ere**:

-essi, -essi, -esse, -essimo, -este, -essero

per i verbi in -**ire**:

-issi, -issi, -isse, -issimo, -iste, -issero

Pochi verbi sono irregolari al congiuntivo imperfetto:

essere:
fossi, fossi, fossi, fossimo, foste, fossero.

ESPRESSIONI UTILI

Per parlare del passato

nel Cinquecento
nell'Ottocento
nel 2000

stavo + *gerundio*

Per descrivere una persona

dal viso rotondo, **dagli** occhi neri ...ecc

Per raccontare

all'inizio ..., un anno/un mese fa ...
prima ... dopo ...
poi/in seguito ...

quando
a un certo momento
tutto a un tratto

quindi
a questo punto
di conseguenza

8 Il congiuntivo passato

Si forma con il congiuntivo di **avere** o **essere** + participio passato:

Credo che lo spettacolo **sia** già **finito**.
Immagino che Mario **abbia comprato** il pane.

Si usa con il superlativo relativo:

È il film più interessante che **abbia** mai **visto**.

- Parlare di tendenze
- Descrivere una casa
- Mettere in dubbio
- Fare ipotesi
- Cause e conseguenze
- Protestare

dipende da	*it depends on*

a 📖 🎧 ✎ **Secondo lei, a che età bisogna avere il primo figlio?**
La RAI intervista dei passanti in Piazza di Spagna a Roma.
Legga. Poi ascolti e segni l'ordine delle risposte da 1 a 12.

a Il più tardi possibile!

b Non ho tempo, non ho tempo neanche per me! Lavoro dalla mattina alla sera.

c Il tempo per fare i figli non c'è, però io dico 'Fateli, sennò non insegno!'

d Non è che ci sia un'età particolare – dipende dalla maturità della persona.

e Verso i trent'anni … Uno si realizza e può avere una famiglia.

f Fino a 30 per me, massimo 35 anni.

g I padri e le madri più anziani, più maturi, forse sono migliori.

h Io ci ho 70 anni, potrei avere un figlio pure io, volendo.

i Io ce l'ho avuto a 20, però oggi come oggi non lo rifarei.

l Prima sicuramente dovrei trovare un marito che mi vuole bene.

m Io direi intorno ai 24, 25 anni.

n 30, 32, 33 – non prima.

b Secondo gli intervistati, da che cosa dipende l'età giusta per avere figli?
C'è un'età su cui sono tutti d'accordo? Con chi è d'accordo lei?

Ⓐ Dove va la famiglia italiana?

1 Cifre sorprendenti

ⓐ Ascolti e legga l'articolo. Completi la tabella con le percentuali.

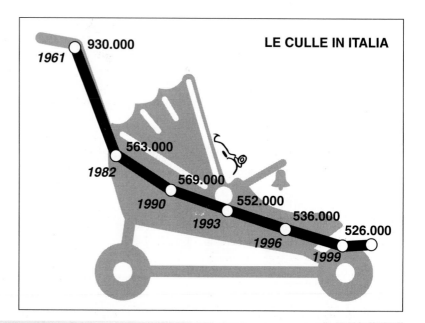

LE CULLE IN ITALIA

1961 — 930.000
1982 — 563.000
1990 — 569.000
1993 — 552.000
1996 — 536.000
1999 — 526.000

IL 52% DELLE GIOVANI DONNE ITALIANE NON VUOLE AVERE FIGLI

ROMA – Il 52% delle giovani donne italiane tra 16 e 24 anni non desidera avere figli. È il risultato di un sondaggio eseguito per conto del mensile *Noi Donne*. La motivazione principale è che la maternità è vista come un impedimento alla propria realizzazione professionale.

Soltanto il 19% delle intervistate ha risposto sicuramente 'sì' alla domanda se desiderasse avere un figlio, mentre il rimanente 29% è incerto. Per la maggioranza comunque (70%), occorre aspettare qualche tempo dopo il matrimonio. Un quarto delle donne intervistate rinuncerebbe a un figlio per la realizzazione personale; un altro quarto teme invece il disagio sociale in cui il bambino potrebbe trovarsi a vivere. Il 17% ha timore delle responsabilità che un figlio porta con sé, mentre l'8% dichiara di temere il parto e il 5% di non amare i bambini.

Quando avere un figlio? Per il 25% è meglio attendere qualche anno di matrimonio, mentre il 21% indica l'età giusta dopo i 30 anni e il 12% dopo i 35 anni. Per il 16% è meglio diventare madri dopo il raggiungimento di obiet-tivi professionali, normalmente tra i 30 e i 40.

Quanti figli avere? Il 27% afferma che il numero giusto è uno, mentre il 23% indica due. Solo una donna su dieci si dice disposta ad avere più di tre figli. Il 50% delle intervistate si dichiara favorevole all'adozione di un figlio da parte di una single, il 40% non esclude di comportarsi come Madonna e di avere un bambino rinunciando al padre. Il 43%, infine, si dice disponibile all'inseminazione artificiale per avere un bambino tutto per sé.

Corriere della Sera, 12 ottobre 1997

Figli?			Quando?			Quanti?		
SI	NO	NON SO	Prima dei 30	Dopo i 30	35+	Uno	Due	Tre +

b 📖 👫 💬 Quale di queste statistiche vi ha colpito di più? Fate un paragone con il vostro paese.

c ✎ 👫 💬 Scrivete quattro domande che secondo voi sono state usate nelle interviste qui riportate e fate un sondaggio in classe.

es:
Lei desidera avere figli?

le culle:	i bambini che nascono
per conto di:	da parte di
occorre:	bisogna
disagio:	situazione di difficoltà
timore:	paura
il parto:	il processo della nascita
inseminazione artificiale:	fertilizzazione in provetta

Per casa ✎

Scriva un breve resoconto del sondaggio fatto in classe per il giornale *Londra Sera* (100 parole) con lo stesso stile e vocabolario dell'articolo del *Corriere*. Cominci così:

Il ...% degli studenti di questo gruppo pensa che ... È il risultato di un sondaggio eseguito a...

2 Un nuovo modo di abitare

single sm/f persona che vive da sola

Una casa a misura di single

Secondo l'ISTAT sono quattro milioni, il doppio secondo la loro associazione. Alla fiera di Vicenza le proposte degli architetti

ⓐ 📖 ✑ Ecco sette oggetti considerati parte integrante della vita del single. Dalle definizioni qui sotto provi a indovinare quali sono (l'iniziale la aiuterà). Usi il dizionario se vuole.

1 D........ . È comodo e all'occasione ci si può dormire in due.

2 P....... . Sembra che i single fumino molto. Qualche sociologo dice che è perché non hanno nessuno che gli ripeta: 'Smetti!'

3 T........ . I single se ne servono in continuazione. Ce ne sono diversi in giro, tascabili o comunque a portata di mano.

4 V........ . Nelle loro case ce n'è sempre una pronta. Mettersi in viaggio, per i single, è più facile.

5 M........ . Molti single sono dei gourmet, ma i più hanno soprattutto fretta! Indispensabile.

6 S........ . Amano circondarsene – forse per il piacere di 'incontrare' se stessi.

7 V........ . In un'epoca di Rover e station-wagon, questo mezzo leggero sottolinea il desiderio di bastare a se stessi e di spostarsi con facilità.

(la soluzione è a pagina 179)

Avete notato?

ne + *altri pronomi personali:*

**me ne, te ne, se ne, gliene,
ce ne, ve ne,
se ne**

'**se ne** servono'

Con l'infinito, il gerundio o l'imperativo, i pronomi si attaccano alla fine del verbo:

'amano circondar**sene**'

ⓑ 👫 ✎ Leggete l'esempio e continuate in modo affermativo. *[handwritten: I will I talk t him of it]*

1 Si parla molto di single in Italia?
Sì, effettivamente se ne parla molto.

2 Ti ricorderai di imbucare la mia lettera?
.... *certamente.* *[handwritten: I'll remember it / me ne ricorderò]*

3 Mi presti un romanzo italiano? *[handwritten: will you / lend me]*
Come no, ... *due.* *[handwritten: te ne presterò]*

4 Ho sentito che Marco va via a luglio.
Sì, ... *a New York.* *[handwritten: He's going away to / New York]*
[handwritten: Sì, andarsene a NY / or va NY]

5 Bisogna parlare a Carlo del programma per domenica. *[handwritten: gliene parlerò]*
Assolutamente, ... *stasera stessa.* *[handwritten: ne parlerò]*

6 Ti sei innamorato di Angela a prima vista?
All'inizio era solo un'amica, poi ho finito per ...*innamorarmene* *[handwritten]*

7 Con tanti libri che hai, quanti scaffali ci vorranno?
...*ne*... *senz'altro tre.* *[handwritten]*
[handwritten: ce ne vorranno]

3 La casa di lui e la casa di lei

LA CASA DI LUI
MONOLOCALE 30/40 MQ
• FARO ALOGENO
• ANGOLO COTTURA
COMPUTER
• LETTO UNA PIAZZA E MEZZO CON RUOTE
• TAVOLO METALLICO
SUI TAVOLINI: TELEVISIONE, HI-FI, RADIO
• CABINA-ARMADIO
ARREDAMENTO ULTRAMODERNO, GELIDO; METALLICO; MOLTO DISORDINE

ⓐ 👫 💬 **Studente A e B:** Avete visitato la fiera di Vicenza dove vi sono molto piaciute alcune proposte di arredamento per single: in particolare la **Casa di lui** (Studente A) e la **Casa di lei** (Studente B). Studiate i disegni per qualche minuto e fate commenti su:

• tipo e stile di oggetti
• posizione dei mobili
• tecnologia
• angolo cottura

Discutete le differenze.

esigenze
requirements
bisogni
needs
fare a meno di
to do without

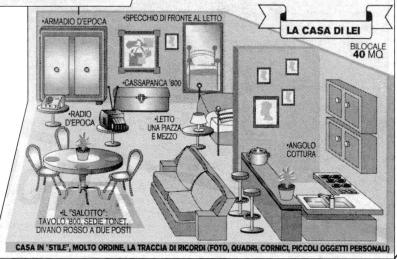

• ARMADIO D'EPOCA
• SPECCHIO DI FRONTE AL LETTO
LA CASA DI LEI
BILOCALE 40 MQ
• CASSAPANCA '800
• RADIO D'EPOCA
• LETTO UNA PIAZZA E MEZZO
• ANGOLO COTTURA
• IL "SALOTTO": TAVOLO '800, SEDIE TONET, DIVANO ROSSO A DUE POSTI
CASA IN "STILE", MOLTO ORDINE, LA TRACCIA DI RICORDI (FOTO, QUADRI, CORNICI, PICCOLI OGGETTI PERSONALI)

ⓑ 👥 💬 **Studente C e D.** A voi non è piaciuta nessuna delle proposte. A turno, fate dei commenti critici su quello che sentite dire dagli altri:

es:

La casa del single ha esigenze diverse.
Non vedo perché **abbia** esigenze diverse.

1 Il letto con le ruote è un'ottima idea.
2 Per una persona sola basta un monolocale.
3 È inutile avere una grande cucina.
4 I mobili antichi vanno bene anche in uno spazio ristretto.
5 Non si può fare a meno di un grande specchio.
6 Un bel divano rende la casa più confortevole.

ⓒ 👥 💬 **La casa che fa per te.**

Parlate della vostra casa e degli oggetti che ritenete indispensabili.

Per casa ✍

Scelga un compito:

1 Scriva una lettera entusiasta a un'amica o un amico che vive da single descrivendo e raccomandando una delle case sopra.

2 Lei è un single che è stato alla fiera di Vicenza e non ha trovato niente che risponda alle sue esigenze. Scriva una lettera al giornale criticando le proposte a pagina 153.

Per introdurre un dubbio:

Non capisco perché …/come …
Non vedo perché …/come …   } + *congiuntivo*
Mi chiedo se…
Non so se…

---

4 Parlano i single

a

Studente A: questa pagina.
Studente B: vada a pagina 179.

Leggete attentamente le interviste con questi personaggi della televisione, Simona Ventura e Luciano Crescenzo, e preparatevi a rispondere ad alcune domande.

Studente A: cominci lei. Chieda informazioni a Studente B su Simona Ventura e prenda appunti. Lei vuole sapere:

1 se è mai stata sposata
2 quanti anni ha
3 dove vive
4 come è la sua giornata
5 come passa la sera
6 chi cucina a casa sua
7 perché ha scelto di vivere da single
8 se ci sono svantaggi e di che tipo
9 che rapporto ha con gli altri
10 se si può dire che oggi la gente non sa più amare

---

colf *sf* (collaboratrice familiare) *house help*

I libri unico bisogno dentro il mio eremo

Intervista con il monofamiglia De Crescenzo

Luciano de Crescenzo, lei non solo è single di vecchia data ma anche sposato pentito, vero?

Già, sono stato solo fino a 32 anni, poi mi sono sposato e per quattro anni ho avuto una famiglia e una figlia che oggi ha 33 anni. Ma avevo commesso un errore, che per fortuna ho riconosciuto in tempo.

Qual era questo errore?

Per me, e l'ho scritto nel mio primo libro, le persone appartengono o alla categoria della libertà o a quella dell'amore. I primi non devono assolutamente sposarsi. Io invece l'ho fatto per sbaglio.

Forse i single non amano?

Io dico che i single hanno bisogno di affetto come tutti gli altri, anzi ancora di più: perché la condizione di single regge a patto di non sentirsi mai soli, di avere una cerchia di amici fidati con cui poter conversare o uscire, o anche stare muti tutta la sera sapendo che lì c'è qualcuno con cui ci si intende e su cui si può contare. Io sono in ottimi rapporti con mia moglie e mia figlia, ci vediamo tutte le feste comandate – ma dopo che sono in casa mia da qualche ora non vedo l'ora che se ne vadano.

Ha un aiuto in casa?

Per vivere bene da single, in casa voglio dire, bisogna moderare le pretese e sapersi organizzare. Il segreto è lì. E sarà sempre di più così, perché immagino il futuro della città come un popolo di single. Io con la colf risolvo tutto, e mangio benissimo, perché ho una sala da pranzo formidabile.

Dica, dica.

È il ristorante qui sotto. Ci vado tutti i giorni. Funziona.

Quali sono gli oggetti che ritiene indispensabili?

I libri. Non vado in vacanza perché non riesco a separarmi dai miei innumerevoli libri.

ⓑ ✎ **Frasi fatte. Studente A:** Dopo aver letto l'intervista, completi queste frasi:

- È un solitario *di vecchia* ...
- Sa di aver *commesso* ...
- Si va avanti bene *a patto* ...
- Abbiamo tutti *una cerchia* ...
- Se ha gente in casa, *non vede* ...
- Si tratta di *moderare* ...

Frasi fatte. Studente B: Dopo aver letto l'intervista con Simona a pagina 179, ma senza guardare il testo, completi le frasi:

- Simona vive in una bella casa spaziosa, *in barba* ...
- Lavora tutto il giorno, *non fa* ...
- Con tanto da fare, la sua vita ha *ritmi* ...
- In casa fa quello che vuole, *è lei il* ...
- Secondo Simona oggi si comunica male, *ma non è* ...

ⓒ 📖 💬 👫 **Le cose che abbiamo in comune.**

Studente A: De Crescenzo: pagina 155.

Studente B: Simona Ventura: pagina 179.

Luciano e Simona si incontrano a un ricevimento della RAI e fanno una conversazione sulla loro vita da single per scoprire se hanno cose in comune. Potete basarvi sulle domande di **a**. Da bravi colleghi, datevi del *tu*.

Per casa ✎

Scriva una lettera a un amico facendo un paragone tra la vita di Simona e quella di Luciano, esprimendo la sua opinione sui loro atteggiamenti. (250 parole).

Ⓑ Un paese protesta

5 A Quaderni

Per una
un paese
alle

Quaderni

Gli abitanti di Quaderni si ribellano subito

(1) QUADERNI (Verona). Agli ordini di una bellicosa parrucchiera bionda, gli abitanti di un paese a due passi da Verona questa mattina non andranno a votare.

(2) 'Ci mancherebbe altro – afferma Mariella Zago, 45 anni portati con allegria, agganciando un bigodino sui capelli umidi di Ines Savoia – non ne possiamo più di essere la pattumiera più grande e puzzolente del Veneto. 'Parole sante' – annuisce la signora Ines – Io e mio marito, che si chiama Policarpo e fa l'agricoltore, viviamo proprio nella casa più vicina alla discarica e non le dico: un fetore insopportabile. Se non chiudessimo le finestre moriremmo asfissiati, specialmente con il caldo afoso d'agosto'.

(3) Sotto accusa e odiato da tutta la gente di Quaderni, un paesino di 1400 anime, è l'enorme immondezzaio aperto quattro anni fa, appena oltre i confini comunali.

(4) 'In origine era una cava – spiega Mariella Zago – Purtroppo abbiamo la sfortuna di avere la più bella ghiaia della zona. Se non avessimo questa ghiaia meravigliosa, non avremmo tanti guai. Bene: il proprietario, un certo Cordioli, prima ha svuotato la cava, facendo una buca di 800 metri cubi e sfondando addirittura una falda acquifera, e poi ha offerto quella gran fossa alla Regione perché ne facesse una discarica. Ma nella cava si era creato un laghetto (pensi che ci sono morti annegati una bambina di sette anni e il suo papà che cercava di salvarla) e i tecnici della Regione hanno detto che no, non si poteva fare una discarica vicino alla falda.'

(5) Ma il Cordioli non si scoraggia. Riempie il fondo della buca con tutto quello che riesce a trovare e lo ricopre con uno strato di ghiaia. Rifà l'offerta e la spunta: nel suo terreno verranno scaricati i rifiuti urbani di buona parte di Verona e di altri paesi dei dintorni. Decine e decine di camion al giorno, centinaia e centinaia di tonnellate. Un affarone: per prendersi l'immondizia, la società di Cordioli incassa 16.000 lire alla tonnellata, che poi diventeranno 23.000 e infine 36.000.

(6) Gli abitanti di Quaderni si ribellano subito. Formano un nuovo 'Comitato Ecologico contro la Discarica', eleggono come presidente la combattiva Mariella Zago, e danno il via a una guerra senza quartiere. Scrivono ai giornali, presentano esposti, bloccano con le loro macchine la stradina che porta alla discarica. Il giudice li ascolta e ordina un'indagine: così i tecnici accertano che la presenza di sostanze tossiche è 18 volte superiore ai limiti di legge.

(7) Come se non bastasse, la gente del paese giura di vedere ogni tanto dei camion che scaricano a notte fonda. 'di nascosto, come se si liberassero di chissà quali prodotti nocivi'. 'Tutte bugie – dice il nipote di Cordioli – è solo frutto dell'immaginazione.' 'Non è vero–ribatte Massimo De Rossi, un ragazzo impegnatissimo nella battaglia – Abbiamo sorpreso un camion addirittura alle dieci di sera del lunedì di Pasqua.'

(8) E gli amministratori? Promettono, dicono che sì, bisogna rivedere, occorre ripensare, è necessario vigilare. ma passano due anni e la discarica è ancora lì.

(9) 'Ci hanno preso per i fondelli – dice Mariella Zago – così abbiamo deciso che questa volta il nostro voto non l'avranno.' E negli ultimi giorni, in occasione delle elezioni comunali, più della metà degli abitanti ha deposto il proprio certificato elettorale in un' urna alternativa'. Altri voteranno scheda bianca. Le schede verranno poi spedite al Presidente della Repubblica insieme a una lettera di protesta del Comitato.

Siete in Italia. Avete sentito molto parlare di questo paese veneto.

[handwritten: homework 23/5/08]

ⓐ 📖 ✎ Leggete velocemente l'articolo e trovate il titolo giusto per ogni paragrafo (1–9).

(a) Oggi non si vota
(b) Un uomo d'affari che la sa lunga
(c) Promesse promesse
(d) Un'urna alternativa per Quaderni
(e) Da cava a discarica
(f) Da morire!
(g) Parte la guerra dei cittadini
(h) Sono già quattro anni
(i) Traffici sospetti nel cuore della notte

☐ 1 ✓
☐ 5 ✓
☐ 8 ✓
☐ 9 ✓
☐ 4 ✓
☐ 2 ✓
☐ 6 ✓
☐ 3 ✓
☐ 7 ✓

è più facile tenere pulito, che pulire

ⓑ ✎ **Di chi si tratta?** Scrivete una semplice frase per completare il titolo cancellato (non più di 15 parole).
(Soluzione a pagina 180).

[handwritten: title for story]

ⓒ 📖 I cittadini di Quaderni parlano in modo colorito.
Trovi nel testo le espressioni idiomatiche che corrispondono a: *[handwritten: expression a testo]*

molto vicino a *[handwritten: a due passi, più vicina, ... meno]*

assolutamente!

siamo stufi (di) *[handwritten: ci mancherebbe altro]*

d'accordissimo! *[handwritten: parole sante ✓]*

le lascio immaginare *[handwritten: e solo frutto dell'immag...]*

vince la partita ?

una buona occasione di guadagno *[handwritten: affarone ✓]*

iniziano *[handwritten: ✓]*

una lotta implacabile *[handwritten: una guerra senza ... questione]*

per giunta, per di più *[handwritten: come se non bastasse]*

una menzogna dopo l'altra *[handwritten: tutte bugie ✓]*

ci hanno imbrogliato *[handwritten: ci hanno preso per i fondelli ✓]*

• Sottolinei le espressioni che secondo lei si possono usare per protestare (v. attività 9)

andare alle urne	*to vote*
votare scheda bianca	*to return a blank voting paper*
agganciare	*pin*
annuire	*to assent*
discarica	*rubbish dump*
pattumiera	*rubbish bin*
immondezzaio	*rubbish tip*
puzzolente	*stinking*
fetore	*stench*
morire asfissiati	*to die of suffocation*
ghiaia	*gravel*
buca, fossa	*large hole in the ground*
sfondare	*to break into*
falda acquifera	*water table*
essere sotto accusa	*to stand accused*
sopraluogo	*survey*
spuntarla	*to win (in a dispute)*
un esposto	*detailed report, denunciation*
giurare	*to swear*
ribattere	*to reply*

•   Un membro del comitato anti-cava sta prendendo appunti per una riunione. Scelga le espressioni per ravvivare il suo discorso:

Vivevamo tranquilli finchè non è apparsa questa discarica .... dal paese. L'odore è insopportabile, e noi non .... Per Cordioli è andata bene, è stato .... Adesso però inizieremo una .... E, se necessario, non voteremo alle elezioni. Così, non potranno più ....

d   Nel paragrafo 6, sostituisca 'La gente di Quaderni' a 'Gli abitanti di Quaderni' e continui facendo tutti i cambiamenti necessari fino a 'li ascolta'.

es:

gli abitanti si ribellano >
la gente si ribella

e   Dunque:

1 Dove abitano i signori Savoia e perché è importante questo fatto?
2 Che cos'era la discarica?
3 Quali disastri ha causato lo sfruttamento della cava?
4 Che territorio serve oggi la discarica?
5 Che cosa hanno fatto gli abitanti per protestare?
6 Che cosa ha accertato il giudice?
7 Quale fatto ha insospettito ancora di più gli abitanti?
8 Come sperano di farsi ascoltare adesso?

6 I dati del problema

C'è una riunione al Comune sulla disputa della discarica. Tutti vogliono arrivare ben informati.

a   Trovi le cause. Scriva le parole chiave a destra come nell'esempio.

es:

Quaderni, pattumiera del Veneto <
discarica a due passi

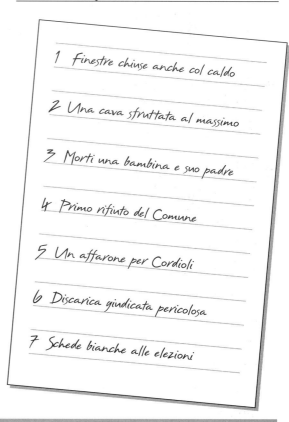

1 Finestre chiuse anche col caldo

2 Una cava sfruttata al massimo

3 Morti una bambina e suo padre

4 Primo rifiuto del Comune

5 Un affarone per Cordioli

6 Discarica giudicata pericolosa

7 Schede bianche alle elezioni

Cause e conseguenze:

a causa di/del...
in seguito a/al...
grazie a/al/alla ...
perché... (+ *indicativo*)
dato che ...
quindi ... perciò ...
di conseguenza ...

💬 🖎 Confronti con un compagno e scriva frasi complete.

es:

Il paese sembra una pattumiera a causa della discarica così vicina.

Da notare

Per fare un'ipotesi:

se + *congiuntivo imperfetto*
  + *condizionale presente*

Se non piovesse, uscirei

ⓑ Ipotesi. Se non …

La signora Ines dice: 'Se non chiudessimo le finestre, moriremmo asfissiati.'

Scriva cosa succederebbe se non …:

1 Ines e Policarpo chiudono le finestre perché altrimenti entra il cattivo odore. *Se non chiudessero …*

2 Nella zona c'è una ghiaia meravigliosa, ecco perché ci sono tanti guai. *Se non ci …*

3 I camion scaricano a notte fonda. Evidentemente portano prodotti nocivi. *Se non …*

4 I cittadini sono stufi, perciò non voteranno scheda bianca. *Se non …*

• 👫 💬 🖎 **Fate altre ipotesi:**

– se finisse tutta la benzina
– se l'Internet fosse gratis
– se il clima inglese diventasse mediterraneo
– se lei fosse nato/a in Italia…

ⓒ 🎧 🖎 Mentre si prepara il dibattito (attività 7) la televisione locale raccoglie i commenti del pubblico. Ascolti. Con chi è d'accordo questo signore? Per quali motivi?

7 Il dibattito

Il proprietario della discarica e i cittadini di Quaderni sono al Comune per discutere la questione. L'insegnante è il sindaco.

Gruppi di 4:

Mariella Zago

la signora Ines

Massimo De Rossi

Sebastiano Cordioli

ⓐ 👪 💬 I personaggi preparano una scheda personale con i loro dati. Devono presentarsi, introdurre il loro argomento, protestare e suggerire vie d'uscita. Si deve arrivare a una decisione.

Per introdurre	Per protestare	Per suggerire
Anzitutto Secondariamente Per giunta	Siamo stufi di + *inf.* Non ne possiamo più di Non è giusto che + *cong.* Temiamo che + *cong.* Come se non bastasse	È ora di + *inf.* Se + *cong. impf.* allora + *condiz.* Sarebbe una buona idea + *vb.* Io suggerirei di + *vb.*

NOME . . . .

ETÀ . . . .

STATO CIVILE . . . .

OCCUPAZIONE . . . .

RUOLO NELLA QUESTIONE DELLA DISCARICA . . . .

. . . .

SUGGERIMENTI . . . .

. . . .

. . . .

Per casa ✍

- Scriva la lettera al Presidente della Repubblica in cui i membri del Comitato spiegano perché hanno votato scheda bianca e suggeriscono una soluzione.

- Scriva una breve lettera di protesta (massimo 100 parole) scegliendo tra

  - il costo dei trasporti dove vivete
  - la musica a tutto volume dalla casa del vicino
  - l'eccesso di pubblicità in TV
  - la mancanza di parchi nella vostra zona

  o un altro argomento che vi sta a cuore.

ⓑ ✍ Preparate un manifesto di 30 parole da affiggere sui muri del paese per presentare il risultato del dibattito.

Fatti di cronaca

8 Fuga dal paese

  Ascoltate e leggete.

Anna e Ida, le due donne che avevano abbandonato marito e figli per evadere dalla realtà ristretta del proprio paese, sono tornate a casa. Immediatamente si è fatto il parallelo con il film *Thelma e Luise*, ma il finale questa volta fortunatamente è diverso.

Da Napoli sentiamo Alberto De Santis:

'Le hanno paragonate a Thelma e Luise, ma invece di fuggire in auto da Serre, un minuscolo e, a loro dire, invivibile paesino a pochi chilometri da Salerno, sono fuggite in treno. Invece che dalla polizia federale sono state inseguite da poliziotti tranquilli e pieni di buon senso. Anziché una fuga a base di omicidi e gesti violenti, per Anna e Ida lo scopo della fuga era la ricerca di un lavoro. Sono state trovate alloggiate in un modesto albergo di Genova. E per loro alla fine niente salto nel vuoto, ma un salto più casalingo nella sala d'aspetto della stazione di Genova, dove si erano rifugiate. Con loro erano i mariti infuriati e alcuni agenti che cercavano di mantenere la calma in una situazione piuttosto tesa.

In una breve intervista che ci hanno concesso prima di ripartire per Serre, le due donne hanno fatto luce su un fatto di cronaca esagerato e romanzato da giornali e TV, poco rispettosi di una difficile vicenda personale e hanno rivelato una profonda insoddisfazione con la loro vita a Serre.

Alla nostra domanda sulle ragioni della fuga, Anna ha risposto che la vita a Serre era insopportabile e che in un paese così brutto, senza cinema, senza una discoteca e dove non c'è mai niente da fare, si muore di noia. Ha aggiunto che volevano evadere da un posto soffocante, dove la gente controlla tutto e tutti.

Quando abbiamo chiesto se intendevano abbandonare anche i figli, Ida ha detto che il desiderio di evadere era troppo forte e che in ogni caso i figli erano già abbastanza grandi. Hanno poi aggiunto che non capivano perché polizia, cronisti e TV le avessero inseguite e che la curiosità morbosa per la loro storia era dovuta solo al film *Thelma e Louise*. Il colmo dell'ironia è che Ida e Anna non hanno neanche visto il film!

anziché/invece di	*instead of*
fuggire/scappare	*to run away*
scopo	*aim*
salto	*jump*
vicenda	*event*

ⓑ 👪 💬 ✍ La storia di Ida e Anna è stata paragonata al film *Thelma e Louise*. Sicuramente in classe molti hanno visto questo film recente e famoso.

In gruppi cercate di ricordare e di ricostruire la storia di Thelma e Louise. Chi ha visto il film racconta la storia e gli altri prendono appunti.

ⓒ ✍ Scriva cosa è simile e cosa è diverso nelle due storie.

Thelma & Louise

Anna & Ida

...fuga a base di omicidi	Ragioni e scopo della fuga	...muoredi noia
...in auto macchina.	Mezzo di trasporto	...in treno......
......Oklahoma...	Da dove sono fuggite	......serre......
...in deserto...	Dove sono andate	...Genova....
...in motel......	Alloggio durante la fuga	...modesto albergo.
......marito.........	Chi hanno lasciato	......i mariti e figli
...polizia federale	Chi le ha inseguite	...tranqulli poliziotti cronisti e TV
......prison.........	Conclusione della fuga	Sono tornate a casa.

salto nel vuoto
leap into void

d In modo conciso scrivete la notizia della fuga per il vostro giornale locale.

e Rileggete la storia. In gruppi di tre ricostruite e scrivete l'intervista che Alberto De Santis fa alle due donne, facendo domande sulla fuga e sulla loro vita a Serre (*lavoro, vita sociale, famiglia, divertimenti, stato economico, ecc.*)

Studente A = Alberto De Santis
Studente B = Anna
Studente C = Ida

Potete cominciare così:

Alberto 'Ma perché siete scappate?'

Anna . . . .

Ida . . . .

f Serre è descritto dalle due donne come:

'un paese *invivibile*, cioè un paese *dove non si può vivere*'.

Allo stesso modo descriva:

- una notizia *incredibile*, cioè ...
- un oggetto *introvabile* ...
- un giocattolo *indistruttibile* ...
- un bambino *insopportabile* ...
- una cosa *invisibile* ...
- una critica *intollerabile* ...

Per casa

Il marito di Anna, scioccato dalla fuga della moglie, si è molto lamentato. Scriva alcuni commenti del marito cominciando così:

'Non riesco a capire perché . . . . '

'Non mi aspettavo . . . . '

'Non sopporto l'idea che . . . . '

'Non ha senso . . . . '

'La cosa peggiore è . . . . '

(*voc. p.165*)

furto	*theft*
gestore	*manager*
pattuglia	*patrol*
custodi	*keeper*
passamontagna	*balaclava*
scalzi	*barefoot*
impronta	*footprint*
dipinto	*painting*
rapina a mano armata	*armed robbery*

9 Furto nella Galleria Nazionale

Roma. Due Van Gogh e un Cezanne sono stati rubati nella Galleria Nazionale di Arte Moderna. Tre uomini mascherati si sono introdotti di notte nel museo.

Clamoroso furto notturno alla Galleria Nazionale d'Arte Moderna di Roma: due quadri di Van Gogh e uno di Cézanne sono stati portati via con tutta calma e molta professionalità da tre uomini a volto coperto.

L'allarme è stato dato dal gestore del bar interno che ha notato che l'entrata della galleria era stata lasciata aperta e ha avvertito una pattuglia della polizia. Le tre custodi sono state trovate legate e imbavagliate. 'Si è trattato di un vero lavoro da professionisti' ha commentato il questore di Roma Antonio Pagnozzi.

In effetti i tre si sono presentati coperti di passamontagna, guanti alle mani e senza scarpe ai piedi per evitare qualsiasi impronta. Si sono allontanati solo dopo aver estratto la videocassetta del sistema di controllo che hanno portato con sé.

I tre dipinti con la loro fama, non possono essere immessi sul mercato direttamente. Potrebbe trattarsi di un furto su commissione di un qualche folle collezionista segreto.

Raccontano le tre custodi 'Non abbiamo fatto in tempo ad aprire la porta della sala controlli che siamo state assalite da tre uomini armati, con il volto coperto e stranamente scalzi.' Le custodi sono state minacciate con le pistole e sono state costrette a staccare tutti gli allarmi. Poi sono state legate, imbavagliate e chiuse in un bagno. Sono state tenute sotto controllo da uno del gruppo, mentre gli altri due salivano al primo piano e prendevano i quadri.

Il museo, spiegano i responsabili, non ha guardiani armati, solo controllori disarmati e una serie di apparecchiature elettroniche. D'altra parte non ci sono molti precedenti di rapina a mano armata in un museo.

Ritratto di contadino

ⓐ 📖 💬 Legga e risponda:

1 In che modo è stato scoperto il furto?
2 Quale può essere il motivo del furto, se non è possibile vendere i quadri apertamente?
3 Cosa hanno fatto i ladri per non essere riconosciuti?
4 Che misure antifurto ci sono nel museo?

ⓑ ✎ Trovi nel testo le frasi equivalenti scritte nella forma passiva:

es:

I ladri hanno rubato tre quadri.
Tre quadri sono stati rubati dai ladri.

1 Tre uomini hanno portato via i quadri.
2 Il gestore ha dato l'allarme.
3 Avevano lasciato aperta l'entrata.
4 Hanno trovato le tre custodi legate.
5 I ladri hanno minacciato le tre custodi.
6 Hanno legato le tre donne. *custode*
7 Hanno imbavagliato le custodi.
8 Hanno chiuso le donne in un bagno.
9 Hanno costretto le donne a staccare gli allarmi.

l'allarme e stato dato del gestore
etc
in the article

La forma passiva

essere + *participio passato del verbo principale* + **da**

Le custodi **sono state** minacciate **dai** ladri.

---

10 Chi è stato? Indovini.

ⓒ 🚹🚹 📖 💬 La polizia sta indagando sul *investigating* furto per trovare i ladri e per scoprire se ci sono complici. Ci sono quattro possibili soluzioni. Secondo lei chi è il colpevole? O forse ha una soluzione diversa? Confronti con un compagno.

1. Il gestore del bar.

Era un complice dei ladri e li ha fatti entrare di nascosto alle 22.00, poco prima della chiusura della galleria. Ha dato l'allarme e ha chiamato la polizia per non destare sospetti su di sé.

2. Le tre custodi.

Una la moglie e due le fidanzate dei ladri. Tutti facevano parte di una banda di ladri di opere d'arte. Si spostavano di città in città e organizzavano furti. Le tre donne lavoravano nella galleria da diversi mesi ed erano rispettate da tutti.

3. Una delle custodi.

Stefania Viglongo si è rivelata la complice dei rapinatori. Si è scoperto che era la moglie di uno dei ladri. Le colleghe erano incredule, perché la stimavano molto. Pensano che sia stata costretta dal marito.

4. I tre ladri.

Erano parte di un'esperta banda internazionale specializzata in furti d'arte su commissione. Si erano conosciuti nelle carceri in Belgio e avevano organizzato il furto con grandissima cura.

jail

La soluzione è a pagina 180.

Grammatica

1 Ne (*of it, of them, from here/there*):

Con espressioni di quantità non si può omettere:
ne hanno molti, **ce ne** vogliono tre

Con gli altri pronomi personali si accoppia così:

> me ne, te ne, se ne, gliene,
> ce ne, ve ne, se ne, gliene.

> Che **te ne** pare?
> **Gliene** parlo domani.

2 Pronomi doppi

Di solito vanno prima del verbo:
Ce n'è sempre una.
Me ne vado.
Se ne ricorderà?

All'imperativo, al gerundio e all'infinito si attaccano al verbo:
Dam**mene** uno.
Andando**sene**, ha salutato tutti.
Spero di ricordar**mene**.

3 La forma passiva

Si forma con **essere** + participio passato del verbo principale + **da**:
Questo giornale è **letto** da tutti.
Le donne **sono state intervistate** dal cronista.

4 Per introdurre un dubbio o una critica

Si usa il congiuntivo dopo un verbo che esprime un dubbio o una domanda indiretta:

Non capisco come **abbiano** potuto farlo.
Non vedo perché l'**abbia** detto.
Mi chiedo se **sia** una buona idea.
Non so se **sia** vero.

5 Cause e conseguenze

Si usa l' indicativo dopo le espressioni seguenti:

a causa di; in seguito a; grazie a + sostantivo
perché; dato che; quindi; di conseguenza;
perciò + indicativo

> A causa delle piogge, si è allagato il paese.
> Dato che dovevamo vederci, **era** inutile telefonargli.
> Siamo arrivati tardi – di conseguenza, **abbiamo** perso il film.

6 Ipotesi

Con **se** si usa il congiuntivo imperfetto (o trapassato) + condizionale (presente o passato):

> Se **vincessi** la lotteria, **partirei** domani.
> Se **avessero fatto** l'inchiesta prima, **avrebbero evitato** l'inquinamento.

Come se + congiuntivo imperfetto (o trapassato):
Come se non **bastasse** …
Parlavano come se **avessero vinto** la causa.

> Ma notare: se **piove**, non esco.

ESPRESSIONI UTILI

Per protestare
Insomma!
Siamo stufi di …
Non ne possiamo più

Per suggerire
È ora di …
Io direi di …
Sarebbe una buona idea + *verbo*
Sarebbe meglio + *verbo*

Conseguenze
Quindi
Perciò
Di conseguenza

Studente B

UNIT 1

8 Qual è il prefisso?

ⓑ Studente B: Dica a Studente A i prefissi delle città italiane e chieda quelli che mancano nella sua lista.

BOLOGNA	
CATANIA	
FIRENZE	
MILANO	055
NAPOLI	02
PERUGIA	
PISA	075
ROMA	
TORINO	011
VENEZIA	041

9 Contatti telefonici

ⓑ Studente B: Risponda alle telefonate usando le informazioni nei riquadri.

TEATRO VALLE

"Amleto" non domani
Sabato ore 21
costo: L.18.000–50.000
Prenotazione telefono: sì
con carta di credito

Parrucchiere

Aperto tutti i giorni ma
chiuso ora di pranzo
(12–14)

Segreteria Ditta Sarra:

Direttore occupatissimo
tutta la settimana
Unica ora possibile sabato
mattina dopo le 11

Dr Menicucci:

Domani giovedì
niente visite a casa
Possibile venerdì ora di
pranzo

RISTORANTE CINESE

Quante persone? Ora?
Indirizzo per la consegna?
v. listino prezzi
menù turistico: L35.000
cena cantonese per 2 due:
L73.000

ALIMENTARI MORETTI

Chiedere la lista
Consegnare a che ora?

UNIT 2

9 Opinioni

❶ *(Paolo e Carmela)*

P   Oh ciao!

C   Ciao. Come stai?

P   Bene, bene – Però …

C   Però cosa ti è successo?

P   Oh, ho un po' di problemi con i miei figli.

C   Ma va!? Come mai?

P   Eh – se sapessi … Ce ne ho uno che non pensa a altro che a divertirsi.

C   Ma no, ma non è vero!

P   Eh, ma secondo me i giovani di oggi sono cambiati, sai …

C   Davvero! – Pensi che siano cambiati i giovani?

P   Oh tanto! Il mio pensa solo a guardare la televisione, a uscire con gli amici, a andare in discoteca. Di studiare poi non se ne parla.

C   Ma guarda, a mio parere influiscono molto le amicizie.

P   Infatti, infatti, sono sicuro, perché ho visto che lui ci ha un gruppetto di amici che … non mi piacciono, non mi piacciono affatto.

C   Ma sì, senti, è così, è proprio vero … Perché in effetti la figlia della signora Rossi ha degli amici incredibili e la signora Rossi ha tanti problemi con questa figlia. Mentre invece il ragazzo frequenta proprio dei ragazzi per bene e al contrario non ha nessun problema.

P   Eh, può darsi, può darsi – penso che tu abbia ragione, perché ho saputo di questa signora Rossi e so che a volte succede. Gli amici, l'amicizia … sì, è molto importante.

C   Sì, sono d'accordo – sono d'accordo perché sì gli amici sono proprio importanti a questa età.

10 Moda, mania o scelta intelligente?

Anche le scarpe sono animaliste

Gli animalisti non accettano calzature in pelle e cuoio legate alla morte degli animali. L'alternativa? Scarpe in gomma o tela o in materiale sintetico. Tutte sportive naturalmente. Ma in Italia ci sono oggi anche negozi che vendono solo calzature in materiali sintetici che però lasciano respirare il piede, e sono sia sportive che eleganti. (Costano dalle 18.000 alle 100.000 lite).

I tuoi ospiti non mangiano carne? Ecco un menù tutto italiano

Il menù è del ristorante vegetariano *Gioia* di Milano che ha conquistato una stella Michelin con piatti di sola verdura.

Primo	Ravioli al sedano verde ripieni di melanzane
Secondo	Sformato di patate e funghi porcini con salsa allo yogurt
Formaggi	Selezione di formaggi di mucca e di pecora
Dolce	Crema ghiacciata ai frutti di bosco
Vino	Bianco (Vermentino)

UNIT 3

11 Un guasto sull'autostrada

(Alfabeto telefonico: v. *Contatti 1*, pagina 63)

Studente B: Lei è diretto a Venezia per una conferenza. È partito da Bologna alle 7.00 questa mattina. Sono le 8.45 e sfortunatamente la sua macchina ha avuto un guasto. Telefoni all'ACI e dia le informazioni necessarie al meccanico.

Quando ha finito scambi il ruolo con **Studente A**.

Studente A: Sono le 18.00 e lei viaggia sull'autostrada A1 diretto a Napoli. Improvvisamente il parabrezza della sua macchina si rompe in mille pezzi. Chiami il meccanico ACI e dia le informazioni necessarie.

FIAT TIPO

TARGA:	RI 8350402
COLORE:	MARRONE
NOME:	MARIO COLANGELI
POSIZIONE:	10 KM DOPO FERRARA
DIREZIONE:	VENEZIA
PROBLEMA:	GOMMA A TERRA

(Ha fretta. Deve essere a Venezia per una conferenza per le 9.30)

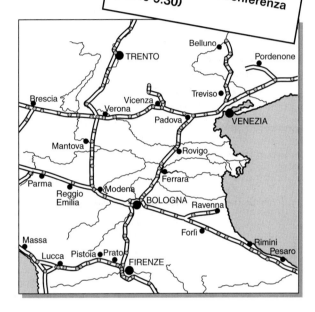

NISSAN MICRA

TARGA:	EGJ 3379F
COLORE:	BIANCA
NOME:	DAVID CLARK
POSIZIONE:	30 KM A SUD DI ROMA
DIREZIONE:	NAPOLI
PROBLEMA:	PARABREZZA ROTTO

(Deve assolutamente arrivare a Napoli per le 18.45 per prendere l'ultimo traghetto della giornata per Capri.)

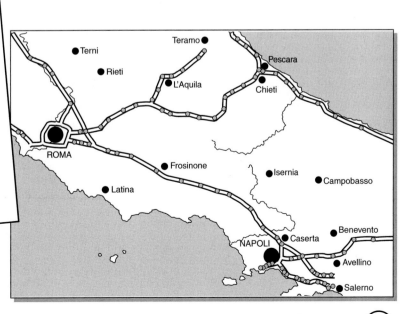

15 Sul Lago Dorato

❶ Studente B: Lei ha sentito parlare del Lago della Duchessa e vorrebbe fare l'escursione. Telefoni a un amico che conosce il posto molto bene.

Qual è esattamente l'itinerario? Ascolti l'amico e segni il percorso sulla sua cartina.

Prepari le domande e chieda informazioni su:

- posizione del lago
- difficoltà
- descrizione del lago
- quanto tempo ci vuole

UNIT 4

2 Paragoni. I manager più pagati

ⓐ Studente B: Completi il grafico chiedendo al compagno quanto sono pagate in dollari le due categorie.

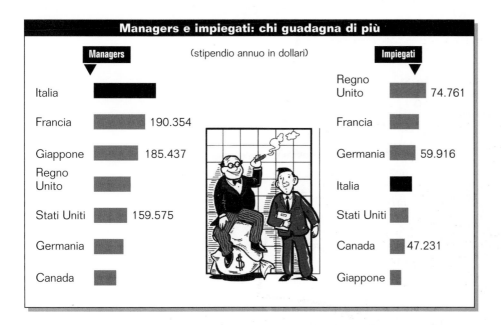

7

ⓓ Studente B: Lei è il signor Murrell. Risponda al telefono. Chieda il nome, l'occupazione, dove e quando viaggia di solito il cliente (lei fa il tratto Montevarchi-Firenze solo il giovedì). Chieda se ha mai studiato l'inglese e per quanto tempo. Per spiegare il suo metodo usi il gerundio come nel paragrafo 3. Fissi una lezione per la settimana prossima.

UNIT 5

1 Che succederà?

ⓐ Studente B: Lei vuole sapere che eventi sono annunciati negli articoli di Studente A. Glielo chieda e prenda appunti come nell'esempio. Cominci lei.

Scambiatevi i ruoli.

D

Concerto rinviato

MODENA – il concerto del complesso 'Everything but the girl' in programma per lunedì prossimo a Cadisola in provincia di Modena, non ci sarà. È stato cancellato per motivi tecnici. Il complesso, che era molto atteso in tutta la regione, verrà sostituito dal gruppo dei Prefab Sprouts, che terranno un concerto nello stesso locale domenica 18 novembre.

La scelta della scuola: ultimo giorno

E

Oggi ultimo giorno del servizio di orientamento offerto da *Repubblica* agli studenti delle scuole medie che lunedì prossimo dovranno presentare le domande di iscrizione alle scuole superiori.

Il centralino di *Repubblica* sarà al lavoro oggi pomeriggio dalle 15 alle 18. Chiunque telefonerà ai numeri 77 14 270 e 77 14 378 riceverà consigli sui tipi di scuola e sulle professioni più richieste nei prossimi anni.

	A	B	C	D	E
Chi					
Che cosa	*inizio ora legale*				
Quando	*sabato 26 – domenica 27 marzo fino al 24 settembre*				
Dove	*in Italia e in più di venti altri paesi*				
Come/ perché	*spostando le lancette in avanti di un'ora*				

UNIT 6

7 'Gli italiani si trattano meglio'

ⓐ **Studente B:** Studi il grafico dei consumi e completi le percentuali che mancano con l'aiuto di Studente A.

es:

Quante persone hanno comprato scarpe nell '95?
Il 42 virgola 6 per cento (42.6%)

10 I due postini

ⓕ **La storia del Postino del film. Conclusione**

Quando Mario e Beatrice si sposano, Neruda fa da testimone alle nozze, ma per Neruda viene il momento di lasciare l'isola. Mario e Beatrice, che aspetta un bambino, aspettano inutilmente notizie dal Cile. L'unica lettera che arriva è del segretario di Neruda: chiede che gli oggetti rimasti nella casa a picco sul mare vengano rispediti a un certo indirizzo. mario va a fare l'inventario e nell'atmosfera della casa si mette a scrivere: è diventato un poeta.

Sicuro ormai di essere stato dimenticato, Mario ha un'idea: registrerà tutti i suoni dell'isola e li manderà a Neruda per ricordargli la sua vita lì. Un giorno viene invitato a leggere in pubblico, a Napoli, il suo 'Canto a Pablo Neruda' e decide di registrare anche questo per mandarlo al poeta. Ma ci sono dei disordini e un colpo sparato dalla polizia lo uccide.

Passano gli anni e Neruda decide di tornare a far visita all'isola e al suo postino. Invece di Mario trova Pablito, il bambino nato dopo la sua morte. Ora Beatrice può consegnare a Neruda il registratore con i suoni dell'isola, ma anche con il rumore dello sparo che ha ucciso il postino.

	1995	1999
ABBIGLIAMENTO COMUNE		98,8%
SCARPE, BORSE, ACCESSORI	42,6%	
VACANZE ALL'ESTERO	40%	
ABITI FIRMATI	28%	27,6%
BIGIOTTERIA, GIOIELLI DI LARGA PRODUZIONE		37%
LIBRI		70,4%
BIGLIETTI DI CINEMA	92%	
VISITE AI MUSEI	75%	94%
ACQUA MINERALE	57%	72%
VINI DI MARCA	39,3%	
CHAMPAGNE		50%
FRUTTA ESOTICA	32,8%	4%
PASTA, PANE E LATTE		99,3%

UNIT 7

4 Il primo amore

ⓐ Dacia Maraini

Scrittrice e autrice di teatro, nata a Firenze da padre toscano e madre siciliana, ha scritto molti romanzi, tra cui *Marianna Ucria* e *Bagheria*, e testi teatrali. È stata per molti anni la compagna dello scrittore Alberto Moravia ed è un'attiva femminista.

Dacia Maraini

Alberto Sordi

Famoso attore comico romano, ha iniziato a recitare alla radio ma si è affermato nel cinema, ottenendo il suo primo successo ne *I Vitelloni* di Fellini. Tra i suoi film: *Tutti a casa*, *La grande Guerra*

Alberto Sordi

Monica Vitti

Attrice molto nota, si è affermata nel 1960 con *L'avventura* di Antonioni e nel '62 con *L'eclisse*. È stata infatti la protagonista di tutti i film di Antonioni di quel periodo. Ha lavorato anche con Fellini in *Otto e mezzo*.

Monica Vitti

6 Le indagini

Studente B: Pina (l'ordine degli eventi).

Studente D: Elisa (descrizione di persone e cose).

Prima del role-play con Studente A e C, leggete il testo e sottolineate le parti rilevanti al vostro compito.

brano a

Era un pomeriggio di febbraio – il 24…25 febbraio dell'88. Lo ricordo con esattezza perché ero appena diventata nonna … Mi hanno invitato a fare una partita a canasta nel pomeriggio.

Era una vecchia casa nel cuore della città – una vecchia villa con un gran giardino intorno – freddissima, senza riscaldamento. Ci abitavano due vecchie signore e un figlio di una terza sorella – un uomo più vicino ai quaranta che ai trenta, che ci vedeva molto poco, portava un paio di occhiali molto spessi… Questa signorina che mi ha invitato apparteneva a una delle migliori famiglie della città.

Quel pomeriggio siamo arrivati alla casa alle quattro, come facevamo sempre quando giocavamo. Eravamo in quattro: Elisa, la padrona di casa, intorno ai 70 anni, Maria, una signora molto ricca, la mia amica Vera e io. Erano tutte più anziane di me, signore molto eleganti. La stanza era freddissima, c'era solo una stufa a gas.

Ci siamo sedute a giocare e **verso le 5 e mezzo-sei** Elisa ci ha portato il tè con le tartine – su un vassoio d'argento grandissimo, lo ricordo perfettamente, con in mezzo lo stemma di famiglia, perché tutta la loro argenteria era così.

brano b

A un certo punto abbiamo sentito un tramestio nell'altra stanza, delle voci concitate … **All'inizio** abbiamo fatto finta di niente, per discrezione – stavamo zitti –…. Poi c'è stato un urlo, un tonfo: **a questo punto** ci siamo guardati in faccia e Elisa si è alzata e ha aperto la porta. E abbiamo visto: la vecchia signorina per terra che le usciva il sangue dal naso; il nipote senza gli occhiali che praticamente era cecato, vicino a lei; e abbiamo visto il bandito con la pistola in mano, puntata a due mani, e il fazzoletto sul viso.

Io ero **ancora** dietro il tavolo, e **la prima cosa che** mi è venuta in mente è stato sfilarmi l'anello col brillante che avevo sulla mano sinistra e farlo cadere là dove appoggiavo la mano. **Intanto** il bandito aveva radunato tutti gli altri nell'ingresso.

Io sono rimasta lì impietrita vicino al tavolo. Quello mi si è avvicinato, mi ha preso per il braccio e ha detto 'Andiamo di là', e io ho detto 'Mi sento male… il cuore …' – e puff! mi sono buttata per terra. Il bandito, che dopotutto è anche lui un uomo, a vedersi questa donna cascare per terra, se n'è andato e mi ha mollato. Io, messa lì per terra, non mi davo pace … Ho sentito l'aereo che partiva alle 7 meno dieci; ho sentito le campane del vicino convento delle suore che suonavano le sette. Faceva un freddo da morire. **A un certo momento** ho aperto un occhio, ho visto che nessuno mi vedeva, mi sono velocissimamente sfilata la collana, ho alzato il tappeto e l'ho buttata là sotto.

Sequenza:

Prima di tutto…/All'inizio…
Poi…/Allora…/Dopo…
In ultimo…/Alla fine…

brano c

Intanto i due hanno preso un grande lenzuolo e l'hanno riempito – ho ancora nelle orecchie il suono di tutta quell'argenteria raccolta come se fosse latta, hai capito, tutta insieme nel grande lenzuolo... Io zitta, non ho detto neanche una parola. Ci hanno levato le cose, hanno svuotato le borse.

Dopo di che ... ci hanno chiuso tutti insieme dentro il gabinetto, una specie di stanzino in fondo al corridoio. 'Chiudetevi dentro!' A questo punto abbiamo cominciato tutti a tremare – io seduta sul cesto dei panni sporchi, Vera in braccio a me, stretti come le sardine!

Dopo un quarto d'ora, mezz'ora, Elisa fa 'Ma che dite, non ...'. Allora, aprendo la porta del bagno 'C'è nessuno??' Siamo usciti di lì quatti quatti, morti di paura.

Abbiamo trovato l'ira di Dio, tutte le nostre borse svuotate, s'erano presi tutti i soldi.... Io mi sono precipitata sul telefono, ho chiamato mio figlio: 'Ci hanno rapinato'.

Dopo cinque minuti c'era polizia, carabinieri, questura, mio figlio, mia figlia.... E noi che parlavamo tutti insieme perché ognuno voleva raccontare la sua versione!

Io **l'unica cosa che mi ricordavo**, unica e sola, erano gli occhi di quello col fazzoletto sul viso ... e la testa bionda di quello che sembrava essere il capo, che aveva un caschetto di capelli biondi, sai, come quelli dei bambini...

11 Come pensa che abbiano smesso di fumare

🔊 **Studente B:** Lei è il dottor Petrini. Legga i CONSIGLI UTILI. Dia consigli a Studente A su come smettere di fumare. Cominci con: *Se fossi in lei* + condizionale presente

CONSIGLI UTILI PER CHI VUOLE SMETTERE DI FUMARE

- Prendere la decisione e stabilire il giorno in cui si vuole smettere

- Eliminare tutte le sigarette senza eccezione

- Smettere con un amico, perché in due è più facile

- Resistere alle tentazioni. Non accettare sigarette da nessuno

- Concedersi un piacere ogni tanto, come un viaggio, una buona cena al ristorante

- Non drammatizzare se non si ha successo immediatamente

- Usare le pillole speciali alla nicotina, soprattutto all'inizio

UNIT 8

4 Parlano i single

ⓑ Studente B: Legga bene l'intervista con Simona Ventura e risponda alle domande di Studente A.

Quando avete finito, chieda informazioni a Studente A su Luciano Crescenzo. Lei vuole sapere:

1 se è mai stato sposato
2 quanti anni ha
3 perché ha scelto di vivere da single
4 se ci sono svantaggi e di che tipo
5 se si può dire che i single non sanno amare
6 come è la sua giornata
7 come passa la sera
8 che rapporto ha con gli altri
9 chi cucina a casa sua
10 di quali oggetti si circonda in casa

ⓒ Luciano e Simona si incontrano a un ricevimento della RAI.

Studente B: Lei è Simona.

Faccia una conversazione con Studente A sulla vostra vita da single per scoprire somiglianze e differenze. Potete usare le domande di **a**. Da bravi colleghi, datevi del *tu*.

Simona Ventura: 'Ho deciso di vivere sola perché mi fa sentire libera'

di Elsa Vinci

ROMA – Single sinonimo di benessere, autonomia, libertà per Simona Ventura, 31 anni, attrice e giornalista, che in barba alle statistiche non vive in due stanze-rifugio con gatto. 'Sto benissimo da sola, la famiglia sono io. Mi sono fatta la mia casa, ho scelto i mobili e gli oggetti, ho organizzato il mio spazio e la mia esistenza.'

La giornata di una single?

Quando mi sveglio la mattina, preparo la colazione ascoltando musica. Mangio e arriva il mio segretario, comincia il lavoro e praticamente finora sera non faccio altro. Ho ritmi serrati, interrotti da spuntini. E a sera non sono certo da sola. Esco con gli amici, vedo il mio fidanzato. Se sono stanca torno a casa e godo del mio tempo. Sono io il capofamiglia.

Si dice che la tipica single sia una donna tra i 30 e i 35 anni, che fa la giornalista e vive circondata da oggetti-ricordo. Ci si riconosce?

No. Sono giornalista ma ho sicuramente più ricordi che oggetti. Non abito in due stanze ma in un appartamento di 120 metri quadrati. Quando ho fatto la scelta da single mi sentivo felice di decidere. Sono stati due anni molto belli.

È vero che le tasse e gli affitti sono più alti della media per un single, e che c'è discriminazione nel lavoro? E anche che è più difficile per un single ottenere la custodia di minori?

La tasse e gli affitti costano cari, ma per tutti, anche quelli sposati con figli. La discriminazione nel lavoro non mi risulta. Non poter ottenere l'affidamento di minori è la cosa più grave, perché a volte un padre o una madre sono meglio da soli che in coppia. Infine, la solitudine se non è una scelta può essere brutta.

Oggi il quindici per cento delle famiglie italiane sono mononucleari, nelle grandi città anche il 30%. Che ne pensa?

È diminuita la capacità di comunicare e tra la gente è cresciuta l'indifferenza. Ma non è che ci si ami di meno che in passato. Le donne in particolare sono più indipendenti, il matrimonio è una scelta e non un destino.

Le soluzioni

Unità 3

15 Sul Lago Dorato

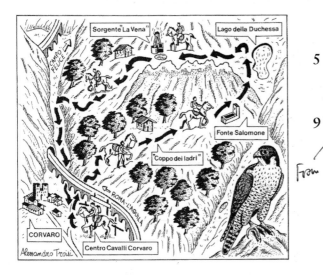

Unità 4

1 **Ha indovinato?**
Risposte: 1A, 2C, 3E, 4D, 5B

7 'Un originale metodo d'insegnamento: lezione d'inglese sui treni pendolari'

Unità 7

2 **Il Tenente Kiss**
Il testimone sostiene di aver visto la scena del delitto mentre usciva dalla vasca da bagno: ciò è impossibile, dato che il vapore dell'acqua calda avrebbe sicuramente appannato i vetri.

Unità 8

2 **Un nuovo metodo di abitare**
1 divano; 2 portacenere; 3 telefono; 4 valigia; 5 microonde; 6 specchio; 7 vespa

5 **A Quaderni**
'Per una discarica un paese non va alle urne'

9 **Furto nella Galleria Nazionale**
Sin dall'inizio si era sospettato che a facilitare il lavoro dei ladri d'arte fosse stata una persona interna alla Galleria. I telefoni dei dipendenti e del personale di sorveglianza sono stati immediatamente messi sotto controllo. E subito si è individuato il complice, anzi la complice, una delle custodi e si è così potuto risalire ai membri della banda. La custode era la moglie di uno dei rapinatori. I due quadri di Van Gogh sono stati ritrovati a Roma, il Cezanne a Torino.

Grammatica

1 Nomi *Nouns*

1.1 **Genere** *Gender*

Normal gender pattern:

masculine	-o	il tavolo
feminine	-a	la bambina
masculine/ feminine	-e	il cane/la stazione

Some nouns are irregular:
la mano *(f)*, la radio *(f)*
l'alibi *(m)*, la crisi *(f)*

Many nouns of Greek origin ending in -ma *are masculine.*

il cinema
il problema
il programma
il sistema
il tema
l'enigma
il dilemma

A number of nouns have both masculine and feminine forms but with different meaning:

il soffitto *ceiling*	la soffitta *loft, attic*
il partito *party*	la partita *match (sport)*
il gambo *stem*	la gamba *leg*

1.2 **Plurali** *Plurals*

Normal pattern:

m.	-o	-i	il ragazzo	> i ragazzi
f.	-a	-e	la casa	> le case
m/f.	-e	-i	il mare	> i mari
			la nazione	> le nazioni

Nouns in -ista *can be either masculine or feminine and change accordingly in the plural:*
il pianista/la pianista i pianisti/le pianiste

Nouns ending in -zione *or* -sione *are always feminine:*
la direzione
un'informazione
la sua passione
un'azione impulsiva

Masculine nouns in -ma *have a regular plural in* -i:
i programmi – i sistemi – i temi

with the exception of **cinema** *(inv.)*:
i cinema aperti a quest'ora

Irregular Plurals

Nouns for parts of the body are often irregular in the plural:

l'osso	>	le ossa
il braccio	>	le braccia
il sopracciglio	>	le sopracciglia
il ginocchio	>	le ginocchia
l'orecchio	>	le orecchie
l'uovo	>	le uova

Other common irregular plurals:

| l'uomo | > | gli uomini |
| il lenzuolo | > | le lenzuola |

Nouns ending with an accent on the last syllable do not change in the plural:

| la città | > | le città |
| il tabù | > | i tabù |

Nouns and adjectives ending in -co, -go *(m) and* -ca, -ga *(f) change to* -chi, -che *and* -ghi, -ghe *to keep the original sound:*

il parco	>	i parchi
il lago	>	i laghi
la giacca	>	le giacche
la paga	>	le paghe

unless the stress is on the second syllable before the ending of a masculine noun or adjective:

il medico	>	i medici
un meccanico	>	due meccanici
une errore tecnico	>	degli errori tecnici

NB amico > amici *is an exception.*

Collective nouns such as **gente, folla, polizia, famiglia** *are singular and require verb, article and adjective in the singular:*

> È arrivata la polizia.
> La famiglia ci ha accolto calorosamente.
> Se c'è troppa gente, cambiamo spiaggia.

2 Articoli *Articles*

2.1 Articolo determinativo
Definite article

sing.m	pl.m
il bambino	**i** bambini
lo studente	**gli** studenti
lo zio	**gli** zii
lo psicologo	**gli** psicologhi
l'albero	**gli** alberi
l'italiano	**gli** italiani

sing.f	pl.f
la casa	**le** case
la canzone	**le** canzoni
l'amica	**le** amiche
l'isola	**le** isole

NB The feminine article plural cannot be apostrophied.

The masculine article plural **gli** *can be apostrophied only if followed by* **-i:**

> gl'italiani e gli inglesi

The definite article is needed:

* *with possessive adjectives:*
  la sua macchina, il tuo cane, i nostri studenti

but not with unmodified family nouns in the singular – i.e. when speaking of one person in the immediate family:

> *i.e.* mio padre, sua madre, tuo figlio
> *but* il mio fratellino, i tuoi genitori, le sue cugine

* *with* **signore, signora, signorina** *(also* **avvocato, dottore***) when talking about others:*
  È arrivato il signor Rossi.
  Vorrei vedere la dottoressa Bertelli.

  but not in direct speech:
  Come va, signor Rossi?

* *with names of countries:*
  l'Italia, la Francia, gli Stati Uniti

  but not if there is a preposition:
  Sono stato in Germania il mese scorso.

* *with general concepts:*
  La felicità è importante.
  Il vino fa bene.

2.2 Articolo indeterminativo
Indefinite article

m	**un, uno**	un libro, un albergo, uno studente
f	**una, un'**	una studentessa, un'amica, un'isola

2.3 Partitivo *Partitive (some)*

'Some' is rendered in Italian by the following:

* *the partitive article* **del, dello, dell', della, dei, degli, delle** + *noun:*

  Vorrei del prosciutto di Parma e del parmigiano.
  Non è una grande mostra, ma ci sono dei bei quadri.

- *the indefinite adjective* **qualche**, *always followed by a singular noun:*
  Ho bisogno di qualche informazione.
  Conosce molti attori e qualche scrittore.

- **un po'di** ... *(a bit of):*
  Ho un po' di mal di testa.
  Compra anche un po' di pane, per favore.

- *the indefinite adjective* **alcuni, alcune:**
  Ci sono alcune canzoni napoletane veramente belle.

3 Aggettivi *Adjectives*

Adjectives agree with the gender of the noun, not with its ending. Care should be taken when noun and adjective have different endings:
  una donna intelligente
  >   due donne intelligenti
  una stazione spaziosa
  >   due stazioni spaziose

Bello, Buono

The endings of **bel, bello, bella** *and* **quel, quello, quella** *are the same as the definite articles (singular and plural):*
  un bel giardino, un bell'albergo, una bella casa, ecc.

Similarly, the endings of **buon, buono, buona, buon'** *(singular) are the same as the indefinite article:*
  un buon amico, una buon'amica, un buono spumante, ecc.

Note: **bello** *in Italian often translates as* **good** *in English:*

un bel film	*a good film*
È stato bello conoscerti	*It was good meeting you.*

Bello *and* **buono** *usually go before the noun they refer to. When placed after the noun, the adjective receives more emphasis:*

una bella casa	*a nice house*
una casa bella	*a beautiful house*
un buon vino	*a good wine*
un vino buono	*a really good wine*

Grande

Grande varies in meaning according to its position: it tends to be metaphorical before the noun and realistic after the noun:

un grande albergo	*a luxury hotel*
un albergo grande	*a large hotel*
una grande macchina	*a great car*
una macchina grande	*a large car*

3.1   Aggettivi possessivi
Possessive adjectives

Like all other adjectives, possessive adjectives agree with the noun they refer to. They are preceded by the definite article.

maschile

il **mio** libro	i **miei** nonni
il **tuo** indirizzo	i **tuoi** amici
il **suo** cane	i **suoi** fiori
il **nostro** albergo	i **nostri** viaggi
il **vostro** gatto	i **vostri** interessi
il **loro** giardino	i **loro** amici

femminile

la **mia** penna	le **mie** zie
la **tua** sigaretta	le **tue** amiche
la **sua** borsa	le **sue** scarpe
la **nostra** vacanza	le **nostre** vacanze
la **vostra** macchina	le **vostre** cartoline
la **loro** valigia	le **loro** fotografie

The article is not used when talking about members of the immediate family in the singular:

  mia madre, mio padre, mio zio
  i miei fratelli, le sue zie, i nostri nonni

Note that with parts of the body, clothing and other obvious items of personal property, the possessive is not used, or is replaced by a reflexive pronoun:

  Prendo il cappotto e esco.
  I'll get my coat and go out.

  Si soffia il naso in continuazione.
  He blows his nose all the time.

3.2 Dimostrativi
Demostrative adjectives and pronouns

Questo *and* **quello**

always go before the noun:
   questo libro, questi amici, ecc.

NB The endings of **quel, quello** *are the same as the definite article:*

quel libro	**quei** libri
quell'uomo	**quegli** uomini, **quegli** studenti
quello studente	
quella donna	**quelle** done, **quelle** amiche
quell'amica	

Note that when used as a pronoun **quello** *has normal* -**a**/-**o**/-**i**/-**e** *endings:*

   Che bei maglioni! Prendo quello.
   What nice sweaters! I'll have that one.

   Io preferisco quelli più a destra.
   I prefer those further to the right.

3.3 Comparativi *Comparatives*

più meno }	adjective noun	**di** *(than)*
adjective/noun		**come/quanto** *(as…as)*

   Fabio è meno sportivo **di** suo fratello.
   A carte, sono più bravi **di** voi.
   La FIAT produce più macchine **della** Ferrari.
   Il vostro balcone è grande **come** la nostra cucina.

After a verb:

   Quando è in vacanza dorme **di più**.
   Se sa che lo aiuti, lavora **di meno**.
   È quello che costa **di più**.

Più … che/meno … che

When the comparison involves two adjectives, nouns, pronouns, prepositions, verbs etc. – i.e. the same parts of speech, **che** *is used instead of* **di**:

   Queste scarpe sono più sportive **che** eleganti
   (two adjectives)
   Ha più soldi **che** amici.
   (two nouns)
   È più facile ascoltare **che** parlare.
   (two verbs)
   Pensa più a sé **che** agli altri.
   (two prepositions)
   Meglio tardi **che** mai!
   (two adverbs)

3.4 Superlativi *Superlatives*

• **Relativo**

article + noun	più meno	*adjective*	di/del /dell'…ecc

   il lavoro più faticoso **di** tutti
   the hardest job of all
   la ragazza più simpatica **del** mondo
   the nicest girl in the world

Note: when followed by a phrase, the relative superlative requires **che** + *the subjunctive:*

   È il film più interessante **che abbia visto** quest'anno.

• **Assoluto**

adjective without ending + **issimo/-issima**

   Un'attrice bravissima, ha fatto dei film bellissimi.

molto/davvero/assolutamente *(inv)* + *adjective*

   È molto gentile.
   Ha un carattere davvero eccezionale.

Comparativi e Superlativi irregolari

Aggettivo	Comparativo	Superlativo relativo	Superlativo Assoluto
buono/a	migliore	il/la migliore	ottimo/a (buonissimo/a)
cattivo/a	peggiore	il/la peggiore	pessimo/a
grande	maggiore	il/la maggiore	grandissimo/a
piccolo/a	minore	il/la minore	piccolissimo/a

È un'ottima birra, è la migliore sul mercato ed
è migliore di quella che ho bevuto ieri.

4 Numerali *Numbers*

4.1 Cardinali *Cardinals*

1	uno	11	undici	21	ventuno
2	due	12	dodici	22	ventidue
3	tre	13	tredici	30	trenta
4	quattro	14	quattordici	40	quaranta
5	cinque	15	quindici	50	cinquanta
6	sei	16	sedici	60	sessanta
7	sette	17	diciassette	70	settanta
8	otto	18	diciotto	80	ottanta
9	nove	19	diciannove	90	novanta
10	dieci	20	venti	100	cento

duecento, trecento, quattrocento, ecc

1000 mille
duemila, tremila, diecimila, ecc

Cento *and* **mille** *are invariable:*
  cento lire
  mille sterline

- *To form thousands, add* **mila** *(inv.) to the number:*
  duecentocinquantamila   250.000

Note that **cento** *is often dropped when speaking about prices:*
  L'uva viene duemila e otto, gli spinaci mille e tre al chilo.
  The grapes are 2900 l., the spinach 1300 l. a kilo.

- **milione** *(one million) is a noun, and is followed by* **di**:
  cinque milioni (di lire)   *five million (lira)*
  due milioni trecentomila (lire) *2.300.000 (lira)*

- *To express hundreds and thousands:*

centinaia migliaia	di	+	*noun*

C'erano migliaia di persone.
There were thousands of people.
Arrivavano a centinaia/a migliaia.
They arrived by the hundreds/thousands.

Centinaia *and* **migliaia** *are irregular plurals of* **un centinaio/un migliaio.**

4.2 Ordinali *Ordinals*

These are adjectives and agree with the noun they refer to:

primo/a	sesto/a
secondo/a	settimo/a
terzo/a	ottavo/a
quarto/a	nono/a
quinto/a	decimo/a

Ordinals from 10th to 20th are formed by dropping the final vowel of the number and adding -esimo/a:

  undicesimo/a dodicesimo/a ventunesimo/a

4.3   **Date** *Dates*

Cardinal numbers preceded by the article are used for dates:

> il/l' + giorno + mese + anno

il due agosto 1975
l'otto febbraio 1999
l'undici dicembre 1980

except for the first day of the month:
il primo aprile

Note that no capitals are needed.

Centuries from the 13th to the 20th are normally indicated with the hundreds only:

il Duecento	*the 13th century*
il Trecento	*the 14th century*
il Quattrocento	*the 15th century*
il Cinquecento	*the 16th century*
il Seicento	*the 17th century*
il Settecento	*the 18th century*
l'Ottocento	*the 19th century*
il Novecento	*the 20th century*
il Duemila	*the 21st century*

4.4   **Percentuali** *Percentages*

In percentages the masculine article **il/l'/lo** *is required before the number. Notice the comma in decimals (,):*

il tre per cento: 3%	*three per cent*
l'otto per cento: 8%	*eight per cent … etc.*
l'uno *virgola* 5 per cento: 1,5%	
lo zero *virgola* 5 per cento: 0,5%	

To indicate the value of the percentage, **del, dello, dell'** *is used:*

uno sconto del tre per cento
a 3% discount
il prezzo del vino è sceso dell'uno per cento
the price of wine fell by 1%
c'è stato un aumento dello 0,8 per cento
there has been a 0.8% increase

5 Avverbi *Adverbs*

Adverbs are invariable. They generally go **before** *an adjective but* **after** *a verb.*

Modo *Manner*

> *feminine form of the adjective + -mente*

rapido, rapida	>	rapidamente
allegro, allegra	>	allegramente
veloce	>	velocemente

Adjectives ending in -**le** *or* -**re** *lose the final* -**e** *before* -**mente**:

normale	>	normalmente
facile	>	facilmente
regolare	>	regolarmente

Irregular:

bene	*well*
male	*badly*
meglio	*better*
peggio	*worse*

Quantità *Degree*

poco	*a little*
abbastanza	*quite*
piuttosto	*rather*
molto	*very*
troppo	*too/too much*
moltissimo	*very much (only after a verb)*

Flavia è molto estroversa *(before adjective)* e parla moltissimo al telefono *(after verb).*

Tempo *Time*

allora	*then*
sempre	*always, all the time*
(non) mai	*never*
qualche volta	*some time*
spesso	*often*
di solito	*usually*
ogni tanto	*every so often*
ancora	*again*
non … ancora	*yet (in a negative/inerrogative sentence)*

In compound tenses adverbs of time go between the auxiliary and the past participle.

Non sono **mai** stato a Praga.
Ho **sempre** dormito pochissimo.

6 Congiunzioni *Conjunctions*

e, o, né...né *(neither...or)*, **ma, però** *(but)*, **tuttavia** *(nevertheless)*

anche *(also, too, as well) always goes before the word it refers to:*

Vieni anche tu?
Are you coming as well?

L'appartamento è bello e anche comodo.
It is a pretty and also a comfortable flat.

Note: **anche** *cannot be used by itself at the beginning of a sentence; use* **inoltre** *instead:*

Inoltre, costa poco. *Also, it's cheap.*

The following conjunctions require the subjunctive in the secondary clause:

sebbene, benché *(although)*
prima che, senza che *(before, without)*
a meno che *(unless)*

Benché ci sia vento, non fa freddo.
Although it's windy, it's not cold.

Bisogna fare qualcosa prima che sia troppo tardi.
We must do something before it's too late.

Non partiamo a meno che non venga anche tu.
We won't go unless you come as well.

7 Preposizioni *Prepositions*

The most common prepositions are:

di	*of, by (authorship)*
a	*at, to*
da	*from, by*
in	*in, at*
con	*with*
su	*on*
per	*for*
tra/fra	*between, among*

Uses

di

Belonging, origin, quantity, material, authorship:
il cane di Mario, un signore di Parigi, un chilo di pane, un anello d'oro, un film di Visconti
After some adjectives:
coperto di polvere   *covered with dust*
soddisfatto del suo lavoro *satisfied with this work*

a

Indirect object:
A Tina piace il tè.
Dai il libro a Sandro.

Location:
(town, place in town)
a Firenze, a Montevarchi, a Piazza Bologna
(place)
a casa, a scuola, al lavoro, alla stazione

Direction:
vada a destra, poi a sinistra
il treno che va a Napoli
andiamo al cinema/al mare

Note: **andare + a** + *infinitive:*
Andiamo a fare un giro in città.

Time:
Ci vediamo alle due e mezza/a mezzanotte in punto.
Pasqua quest'anno è a Aprile/in Aprile
A Ferragosto andiamo al mare.

Style, ingredients or method:
> spaghetti alla carbonara, risotto ai funghi, pesce alla griglia, divorzio all'italiana

da

Starting point (place, time):
> L'aereo parte da Torino alle 6.
> L'orario è dalle 5 alle 7.

Place (at somebody's):
> Vieni da noi stasera?
> Ristorante 'Da Mario'

Use:
> campo da tennis
> vestiti da uomo
> roba da matti!

Something to be done: **da + infinito**
> Ci sono molte cose da fare, non c'è tempo da perdere.
> *There are many things to do, there is no time to waste.*

Time: since, as a...:
> da giovane, da bambino, da grande
> *as a young man, as a child, as an adult*

fin da ragazzo	fin dall'infanzia
since I was a boy	*since childhood*

Time since: **Da quanto** tempo? *if the action is still going on:*

> **presente (o imperfetto) + da + tempo**

> Studia il francese da molto tempo ma non lo parla bene.
> *He has been studying French for a long time but does not speak it well.*

> Era a Londra da una settimana quando ha conosciuto suo marito.
> *She had been in London for a week when she met her husband.*

(see also **per***)*

in

Location/direction (with names of regions and countries):
> Vai in Italia quest'estate?
> Andiamo in Umbria, a Spoleto.

Means of transport:
> Preferisco viaggiare in treno.

su

Location: on, looking out on:
> il lume sul tavolo, una villa sul Po

percentages: out of:
> Una persona su dieci ha risposto affermativamente.

per

For
> È un regalo per voi.

- *Time:* **Per quanto tempo?** *if the action is finished:*

> **passato prossimo + per + tempo:**

> Jean ha lavorato a Bologna per un anno.
> *Jean has worked in Bologna for a year.*

> La causa è andata avanti per quattro mesi.
> *The lawsuit went on for four months.*

- *In the structure:* **per + infinito** *(in order to ...)*

> Si sono visti per parlare di affari.
> *They met to talk business.*

> Stiamo lavorando per finire al più presto.
> *We are working to finish as soon as possible.*

tra/fra

Place (between):
> tra Montevarchi e Firenze
> fra Piazza Colonna e il Foro

Time (in, within):
> Ci vediamo tra un'ora.
> *See you in an hour.*

> Sarà pronto tra un anno.
> *It will be ready in a year.*

Altre preposizioni

a	+ città/paese/villaggio
in	+ regione/nazione/continente

a Milano, in Lombardia, in Italia, in Europa

davanti a, di fronte a
davanti al cinema, di fronte alla pizzeria
outside the cinema, opposite the pizzeria

nei pressi di, nei dintorni di
nei pressi di Nizza, nei dintorni di Milano
in the Nizza area, in the outskirts of Milan

Indicatori di tempo

prima di *(same subject):*

prima di + infinito

Prima di uscire, chiudi le finestre.
Close the windows before going out.

Facciamo due passi prima di andare al cinema.
Let's walk a bit before going to the cinema.

dopo avere/essere... *(same subject):*

dopo + infinito passato

Dopo essere uscite dallo stanzino, abbiamo telefonato alla polizia.
After coming out of the store room, we phoned the police.

Note: if the subject of the two clauses is different:

prima che + *subjunctive (see page 201).* **dopo che** + *indicative*

Bisogna parlare con Miriam prima che parta per Londra.
We must talk to Miriam before she leaves for London.

Mi ha telefonato dopo che tutti se ne erano andati.
She phoned me after everybody had gone.

7.1 Preposizioni articolate

Di, a, da, in, su *combine with the definite article as follows:*

Singolare

di + il = del	a + il = al	da + il = dal
di + lo = dello	a + lo = allo	da + lo = dallo
di + la = della	a + la = alla	da + la = dalla
di + l' = dell'	a + l' = all'	da + l' = dall'
in + il = nel	su + il = sul	
in + lo = nello	su + lo = sullo	
in + la = nella	su + la = sulla	
in + l' = nell'	su + l' = sull'	

Plurale

di + i = dei	a + i = ai	da + i = dai
di + gli = degli	a + gli = agli	da + gli = dagli
di + le = delle	a + le = alle	da + le = dalle
in + i = nei	su + i = sui	
in + gli = negli	su + gli = sugli	
in + le = nelle	su + le = sulle	

8 Pronomi personali
Personal pronouns

8.1 Soggetto *Subject*

io, tu, lei/lui, noi, voi, loro

Because the verb ending indicates who does the action, subject pronouns in Italian are only used:

* *if the subject is different from the last sentence:*
È un uomo più generoso di quanto voi pensate.
He is a more generous man that you might think.

• *for emphasis:*
  Tu vai a Milano e noi andiamo a Roma.
  You are going to Milan, we are going to Rome.

Subject pronouns always go before the verb, except for emphasis:

| Se te lo dice lui...! | *If **he** tells you...!* |
| Puoi provare tu? | *Can **you** try?* |

Forms of address

Tu *(informal): verb in the second person singular. Used to address member of the family, a friend or a contemporary:*

Ciao Mario, come stai? Ti senti meglio oggi?
Hi Mario, how are you? Are you feeling better today?

Sbrigati, farai tardi.
Hurry up, you will be late.

Lei *(formal): verb in the third person singular. Used to address someone with whom you are not on familiar terms:*

Lei ha visto questo film? Che ne pensa?
Have you seen this film? What do you think of it?

Signore, Signora, Signorina

*No article is required when speaking **to** the person:*

Buongiorno, Signora Parenti.
Dica pure, Signor Alessi.

*But the article must be used when talking **about** the person:*

Il signor Benassi arriva alle tre.

*Note that **signore** is abbreviated to **signor** before a surname.*

8.2 Oggetto diretto *Direct Object*

mi	Mi aspetti?
ti	Ti chiamo alle due.
lo, la	Il giornale **lo** compro io.
	La coca cola, **la** prendi tu?
ci	Ci aspetta da un'ora.
vi	Vi invito a cena.
li, le	Li vedi stasera, Pino e Nico?
	Maia e Sara, le conosci?

Note: **Reflexive pronouns** *are the same as direct object pronouns, except for the third person* **si** *(singular and plural). See reflexive verbs (page 194).*

Mario si lava e si veste in fretta.
Carla si annoia facilmente.
Quei due si vogliono bene

8.3 Oggetto indiretto *Indirect Object*

Indirect object pronouns are the same as the direct object, except in the third person:

gli: a lui, a loro *(to him, to them)*
le: a lei *(to her)*

| Adesso gli scrivo | *I'll write to him now.* |
| Le telefono. | *I'll phone her.* |

Note that **gli** *(to them) has by now replaced in spoken Italian the more formal* **loro** *(which goes after the verb).*

mi	Quando **mi** presti quel libro?
ti	Ti telefono stasera.
gli	Che **gli** diciamo?
le	Che cosa le regaliamo?
ci	Ci scrivono spesso.
vi	Vi mandiamo una cartolina dal mare.
gli	Gli parlerò domani.
	Parlerò **loro** domani.

8.4 Pronomi doppi
Combined pronouns

Indirect object pronouns combine with the direct object lo, la, li, le:

masc.	fem.
me lo	me la
me li	me le
te lo	te la
te li	te le
glielo, glieli	gliela, gliele
ce lo, ce li	ce la, ce le
ve lo, ve li	ve la, ve le

Te li porto domani (i dischi).
Te le dò subito (le cassette).

Note the third-person combined pronouns, increasingly used for both singular and plural:

glielo	**gliela**	*it to him/her/them/you* (**lei**)
glieli	**gliele**	*them to him/her/them/you* (**lei**)

Gliela mando subito (la lettera) ecc.
Glieli ho mandati ieri (i pacchi) ecc.

8.5 Position

Normally personal pronouns go immediately before the verb. But with the **imperative**, **infinitive** *and* **gerund**, *the pronoun – and the double pronoun – attaches itself to the verb:*

Dimmi.	*Tell me.*
Devo parlarti.	*I must talk to you.*
Vediamoci alle 8.	*Let's meet at 8.*
Conoscendola, so che andrà benissimo.	
Knowing her, I know she will do very well.	
Dammela.	*Give it to me.*
Faccelo sapere.	*Let us know!* (**tu**)

8.6 Pronomi tonici
Stressed pronouns

After a preposition:

me	dallo a **me**
te	vengo con **te**
sé	va da **sé**
lui, lei	non solo per **lui**, ma anche per lei
noi	stai da **noi** stasera?
voi	dipende da **voi**
loro	per **loro** non è importante

8.7 Altri pronomi

ci (*there, to it*)

C'è un bel film.
They are showing a good film. (there is)

Tu ci vai?
Are you going? (there)

Adesso non ci pensare.
Don't think about it for the moment. (literally: to it)

Mi dispiace, non so che farci.
I'm sorry, I don't know what to do about it.

ne (*of it, of them*)

• *Quantity*
  With expressions of quantity, **ne** *cannot be omitted:*

  Quanti figli hai? Ne ho tre.
  How many children have you got? I have three.

  Quanto pane vuole? Ne vorrei un chilo.
  How much bread would you like? I'd like a kilo.

• *Of/about it, him/her, them*

  Che ne pensate? *What do you think of it?*

Non ne parliamo più.
Let's not talk about it any more.

Me ne dimentico sempre.
I always forget it.

Paola? Non ne so nulla da un anno.
Paola? I haven't heard from her for a year.

- **From here, from there:**

  Adesso me ne vado – su, andiamocene.
  I'm off. Come on, let's go.

9 Pronomi relativi
Relative pronouns

che	who, whom, that, which
cui	whom, which (after a preposition)
il quale, la quale, i quali, le quali	who, whom

Note that **che** *can never be omitted in a sentence.*

Il quale, la quale, *etc. can only refer to people. It is used much less than* **che, cui** *and mostly to avoid ambiguities of meaning. It combines with the prepositions in the usual way:*

l'uomo di cui ti ho parlato
l'uomo del quale ti ho parlato
the man I talked to you about

le persone su cui contiamo
le persone sulle quali contiamo
the people we count on

10 Aggettivi e pronomi indefiniti
Indefinite adjectives and pronouns

Alcuni, alcune – *adj. (some) see Partitive (p.182).*

Ogni – *adj., inv. (each, every)*

ogni giorno, ogni due ore
each day, every two hours

Qualche – *adj., inv. (some/any) – is always singular: therefore noun, adjective and verb will be in the singular:*

Hai letto qualche bel libro ultimamente?
Read any good books lately?

C'è stato qualche incidente sull'autostrada.
There have been some accidents on the motorway.

Qualcuno – *pronoun, inv., also interrogative (somebody, someone – anybody, anyone):*

Ha telefonato qualcuno che non conosco.
Somebody I don't know phoned.

C'è qualcuno   *Anybody at home?*

Qualcosa – *pronoun, inv., also interrogative (something, anything):*

Se hai qualcosa da dire, parla adesso.
Speak now if you have something to say.

Posso fare qualcosa per te?
Can I do anything for you?

Note the structure:

qualcosa niente	+ di + *adjective*

È successo qualcosa di incredibile.
Something incredible has happened.

C'è qualcosa di nuovo?   *Anything new?*

Qui non abbiamo niente di interessante.
We have nothing interesting here.

Qualsiasi – *adj. (any) can go either before or after the noun:*

Qualsiasi libro va bene.
Any book will do.

Dammi un libro qualsiasi.
Give me any book (whatsoever).

10.1 Negativi *Negatives*

There are usually two negative words in a negative sentence:

Non c'è nessuno qui. *There is nobody here.*
Non si vede niente. *One can't see anything.*

unless the sentence begins with a negative pronoun/adjective:

Niente lo interessa. *Nothing interests him.*
Ho telefonato ma nessuno ha risposto.
I phoned but nobody answered.

Nessuno *and* **Niente** *are also used in questions (anyone, anything):*

C'è nessuno? *Anybody in?*
C'è niente *Is there anthing*
  da mangiare? *to eat?*

10.2 Interrogativi *Questions*

Question words:

Chi? *Who?*
Che cosa? *What?*
Che? *Which?*
Quando? *When?*
Dove? *Where?*
Come? *How?*
Perché? *Why?*
Quanto? Quanti? *How much? How many?*
Quale? Quali? *Which? Which ones?*

10.3 Esclamazioni *Exclamations*

Che, come *and* **quanto** *are used for emphasis in exclamations:*

che + *adj/noun*

Che bella serata! *What a lovely evening!*
Che noia! *How boring!*

quanto/a + *noun*

Quanta gente! *What a lot of people!*
Santo cielo, quanti problemi!
Heavens, what a lot of problems!

come/quanto + *verb*

Come sei gentile! *How kind of you!*
Come balli bene! *How well you dance!*
Quanto ho imparato da te!
I have learnt so much from you!

11 Verbi *Verbs*

11.1 Presente indicativo *Present tense*

Verbi regolari *Regular verbs*

-ARE parlare	-ERE temere	-IRE dormire	-IRE finire*
parlo	temo	dormo	finisco
parli	temi	dormi	finisci
parla	teme	dorme	finisce
parliamo	temiamo	dormiamo	finiamo
parlate	temete	dormite	finite
parlano	temono	dormono	finiscono

Other common -isco verbs:
capire, pulire, preferire, impedire *and all verbs ending in* -**finire** *and* -**ferire.**

Presente dei verbi irregolari in -are:

-ARE andare	-ERE dare	-IRE fare	-IRE stare
vado	do	faccio	sto
vai	dai	fai	stai
va	dà	fa	sta
andiamo	diamo	facciamo	stiamo
andate	date	fate	state
vanno	danno	fanno	stanno

For other irregular verb patterns: see pp. 195, 196, 198, 199, 200, 201.

Uso del presente indicativo

• *To indicate what happens all the time or at the present moment:*

Paolo lavora molto.
La fabbrica produce stoffe.
Che fa Angela? Legge il giornale e prende un caffè.

• *For an action in the immediate future:*

Domenica andiamo a sciare.
We are going skiing on Sunday.

Che fai quest'estate? Torni in Italia?
What will you be doing this summer?
Will you be going back to Italy?

• *To talk about a story, a book or a film:*

Nel film, una giovane coppia si stabilisce a Torino.
In the film, a young couple settle in Turin.

Alla fine del libro Pinocchio diventa un bambino vero.
At the end of the book Pinocchio becomes a real child.

• *To make a narrative more vivid (presente storico):*

A questo punto i ladri scappano e arriva la polizia. Io mi precipito al telefono …
At this point the thieves flee and the police arrive. I rush to the phone …

11.2 Verbi riflessivi *Reflexive verbs*

Reflexive verbs are widely used in Italian. Many English intransitive verbs have their Italian equivalent in a reflexive:

Ti svegli presto?	*Do you get up early?*
Si è spenta la luce.	*The light went off.*
Mi sono alzato per andarmene.	*I got up to go.*

Practically any transitive verb can be made 'reflexive' in Italian, thus allowing an action to be personalised without resorting to possessives:

Si mette il cappotto.
She puts her coat on.

Lavatevi i denti, bambini.
Clean your teeth, children.

Presente dei riflessivi *Present Tense Reflexive verbs*

	-ARE annoiarsi	-ERE sedersi	-IRE divertirsi
(io)	**mi** annoio	**mi** siedo	**mi** diverto
(tu)	**ti** annoi	**ti** siedi	**ti** diverti
(lui, lei)	**si** annoia	**si** siede	**si** diverte
(noi)	**ci** annoiamo	**ci** sediamo	**ci** divertiamo
(voi)	**vi** annoiate	**vi** sedete	**vi** divertite
(loro)	**si** annoiano	**si** siedono	**si** divertono

In compound tenses, reflexive verbs take the auxiliary verb **essere**, *therefore the past participle does agree:*

I ragazzi si sono molto divertiti al mare.
The kids had a lot of fun at the seaside.

Ieri sera io mi sono annoiato a morte.
I got bored to death last night.

Si è comprata un bel paio di scarpe.
She bought herself a nice pair of shoes.

11.3 Passato prossimo *Perfect tense*

The **passato prossimo** *is the main tense used in Italian to convey an action completed in the past.*

(The only other tense for completed actions in the past is the **passato remoto** *(see page 196) which nowadays is mostly used in novels or when referring to historical events).*

The **passato prossimo** *is formed by the auxiliary verb* **essere** *o* **avere** *and the past participle.*

avere	past. part.	essere	past. part.
ho	mangiato	sono	andato/a
hai	mangiato	sei	andato/a
ha	mangiato	è	andato/a
abbiamo	mangiato	siamo	andati/e
avete	mangiato	siete	andati/e
hanno	mangiato	sono	andati/e

Ausiliari: essere o avere? *Auxiliaries*

Verbs of motion and change, whether real or metaphoric, take **essere**, *as do all reflexive verbs.*

All other verbs take **avere**.

When using **essere**, *the ending of the past participle must agree in gender (masculine/feminine) and number (singular/plural) with the subject:*

Siamo arrivati ieri sera.	*We arrived last night.*
Ti sei divertito?	*Did you enjoy yourself?*
Come sei cambiata!	*Haven't you changed!*
Il prezzo delle case è salito.	*The price of homes has gone up.*

Exceptions: **viaggiare** *and* **camminare** *take* **avere**.

When using **avere** *the ending of the past participle agrees with the preceding 3rd person direct object pronouns,* **lo, la, li, le**:

Quella telefonata, l'hai già fatta?
That phone call, have you made it?

Ho preso i giornali ma non **li** ho ancora letti.
I got the papers but have not read them yet.

Anna e Luisa: **le** hai viste?
Anna and Luisa: have you seen them?

Participio passato *Past participle*

Regular past participle endings:

-ARE	-ERE	-IRE
-ato	-uto	-ito
amato	temuto	dormito
(amare)	(temere)	(dormire)

Participio passato irregolare

Common irregular past participles are best remembered when grouped by pattern:

fatto	detto	letto	scritto
(fare)	(dire)	(leggere)	(scrivere)
preso	**riso**	**messo**	**successo**
(prendere)	(ridere)	(mettere)	(succedere)
visto	**risposto**	**nascosto**	**nato**
(vedere)	(rispondere)	(nascondere)	(nascere)
aperto	**coperto**	**sofferto**	**morto**
(aprire)	(coprire)	(soffrire)	(morire)

11.4 Imperfetto *Imperfect*

The imperfect is always regular with very few exceptions.

-ARE	-ERE	-IRE
tornare	vedere	partire
tornavo	vedevo	partivo
tornavi	vedevi	partivi
tornava	vedeva	partiva
tornavamo	vedevamo	partivamo
tornavate	vedevate	partivate
tornavano	vedevano	partivano

Imperfetto irregolare

ero	eravamo
eri	eravate
era	erano

Also: **dicevo** (dire) **facevo** (fare).

Uses

The imperfect is used:

* *to describe people and objects in the past (the way things were):*

  Da piccola aveva i capelli biondi.
  Era un uomo coraggioso.

* *to describe situations and states of mind in the past (the way things were):*

  La città era deserta. Non si vedevano macchine.
  Si sentiva male e non voleva vedere nessuno.

* *to describe habits and repeated actions in the past (what used to happen):*
  Andavamo sempre al mare d'estate.
  Correva alla porta ogni volta che suonava il campanello.

11.5 Uso del passato
Use of the past tenses

*The perfect (**passato prossimo**) represents completed actions. The imperfect (**imperfetto**) describes situations and habits in the past:*

   Edison ha inventato la lampadina elettrica.
   Edison invented the electric bulb.

   Prima, si usavano le candele.
   Before, candles were used.

*Both forms of the past can be found in the same sentence, with one giving the setting or scenario (**imperfetto**) and the other the main action (**passato prossimo**):*

   Stavo facendo la doccia quando ho sentito un urlo.
   I was having a shower when I heard a scream.

   Dov'eri quando è arrivato Armando?
   Where were you when Amando arrived?

   Ci siamo incontrati in ufficio perché dovevamo finire un lavoro.
   We met in the office because we had work to finish.

11.6 Trapassato prossimo *Pluperfect*

The pluperfect is used for an action preceding the main action in the past.

imperfetto *di* essere *o* avere + participio passato

   Mi ero appena seduta al tavolo quando hai telefonato.
   I had just sat down at the table when you phoned.

   Non avevamo mai visto un'eclisse, quindi eravamo emozionati.
   We had never seen an eclipse before, so we were very excited.

11.7 Passato remoto *Past historic*

You will need to be able to recognise the **passato remoto** *when you start reading Italian novels, since stories have traditionally been written in this tense. Like the* **passato prossimo**, *the* **passato remoto** *indicates finished actions in the past and is therefore a main tool for narrative.*

But in spoken Italian, although still in use in dialects of the South, the **passato remoto** *is only used when referring to distant personal or historical events.*

-ARE parlare	-ERE vendere	-IRE finire
parlai	vendei/-etti	finii
parlasti	vendesti	finisti
parlò	vendette	finì
parlammo	vendemmo	finimmo
parlaste	vendeste	finiste
parlarono	vendettero	finirono

Note that most **irregular verbs** *have irregular* **passato remoto**. *Here are some common patterns in the 3rd person:*

disse (dire), **visse** (vivere), **scrisse** (scrivere)
prese (prendere), **comprese** (comprendere), **rise** (ridere)
colse (cogliere), **pianse** (piangere), **dipinse** (dipingere)
diede (dare), **fece** (fare), **stette** (stare)

11.8 Futuro *Future*

The future is formed from the infinitive without the -e.

*Note: -***are** *verbs change their -***a** *into -***e**:

cantare	>	canterò
scrivere	>	scriverò
partire	>	partirò

-ARE amare	-ERE leggere	-IRE partire
amerò	leggerò	partirò
amerai	leggerai	partirai
amerà	leggerà	partirà
ameremo	leggeremo	partiremo
amerete	leggerete	partirete
ameranno	leggeranno	partiranno

	essere	avere
(io)	sarò	avrò
(tu)	sarai	avrai
(lui/lei)	sarà	avrà
(noi)	saremo	avremo
(voi)	sarete	avrete
(loro)	saranno	avranno

Futuro irregolare

The most common patterns are:
venire, tenere, rimanere, bere:

verrò, terrò, rimarrò, berrò (**double**)

avere, andare, cadere, potere, sapere:

avrò, andrò, cadrò saprò (**contraction**)

Uses

The future is used:
* *to announce events, make forecasts and promises:*

Pioverà stanotte.	*It will rain tonight.*
Te lo farò sapere.	*I'll let you know.*

• *to indicate probability, also in the past* (**futuro anteriore**)*:*

Saranno le nove.
It must be nine o'clock.

Starà guardando la TV.
He is probably watching tv.

Sarà andata al cinema.
She has probably gone to the cinema.

In linked sentences, the double future is used:

Chi vivrà, vedrà.
Whoever lives will see it.

Se indovinerai, avrai un premio.
You'll get a prize if you guess.

Impazzirà di gioia appena lo saprà.
She will go crazy with joy as soon as she knows.

NB. *Instead of the future, the present is normally used for actions in the immediate future:*

Parto domani. Torno giovedì.
I am leaving tomorrow and coming back on Thursday.

For an imminent action:

stare per + infinito

L'eclisse sta per cominciare.
The eclipse is just about to start.

Stanno per comprarsi una casa nuova.
They are about to buy a new house.

Futuro anteriore *Future perfect*

futuro di essere/avere + participio passato

Sarò contento solo quando saremo arrivati.
I'll be happy only when we have arrived.

Appena avrò finito ti inviterò a cena.
I'll invite you to dinner as soon as I have finished.

Also to express probability in the past:

Come avrà fatto?
How did he manage, I wonder?

Avrà telefonato mentre eravamo fuori.
She might have phoned when we were out.

11.9 Condizionale *Conditional*

*Like the future, the conditional is formed from the infinitive without the final -e. Also like the future, verbs in -are change their -a into -e (**cantare > canterei**). The typical sound of the conditional is -rei/-resti/-rebbe:*

-ARE	-ERE	-IRE
ballare	scrivere	dormire
ballerei	scriverei	dormirei
balleresti	scriveresti	dormiresti
ballerebbe	scriverebbe	dormirebbe
balleremmo	scriveremmo	dormiremmo
ballereste	scrivereste	dormireste
ballerebbero	scriverebbero	dormirebbero

Condizionale irregolare

Just change the ending of the irregular future into **-rei -resti -rebbe** *ecc. (see above):*

verrò > verrei	avrò > avrei	darò > darei
andrò > andrei	saprò > saprei	dirò > direi
berrò > berrei	potrò > potrei	farò > farei

Dovrei/dovrebbe

The conditional of **dovere** + *infinito is the equivalent of 'should':*

dovrei	dovremmo		
dovresti	dovreste	+	infinito
dovrebbe	dovrebbero		

Che cosa si dovrebbe fare secondo te?
What should one do, in your opinion?

È un lavoro impegnativo, dovresti chiedere un aumento.
It is a demanding job, you should ask for a rise.

Uses

• *Tentative approach and polite requests:*

Mi faresti una cortesia? Chiuderesti quella finestra?
Would you do me a favour? Would you shut that window?

Mi servirebbe un etto di prosciutto.
I need a quarter of ham.

Io suggerirei … *I would suggest …*

• *Intention:*

Vorrei fare una gita a cavallo.
I'd like to go horse trekking.

Ti piacerebbe una lunga vacanza al mare?
Would you like a long sea holiday?

• *Intention subject to condition, hypothesis* **frasi ipotetiche** *(conditional sentences):*

condizionale + se + congiuntivo impf/ trapassato
Lo farei se potessi.   *I would if I could.*

Ci andrei subito, se fossi in te.
I would go straight away, if I were you.

Ci divertiremmo di più se venissi anche tu.
It would be more fun if you came as well.

Se avesse avuto i soldi, avrebbe comprato quella macchina.
Had he had the money, he would have bought the car.

• *Hearsay, rumour:*

Il monte premi sarebbe di mezzo miliardo.
They say the jackpot is half a billion lira.

I ladri avrebbero trafugato tre dipinti.
The thieves are said to have taken away three paintings.

Condizionale passato *Past conditional*

condizionale di essere/avere + *participio passato*

Avrei voluto venire anch'io.
I would have liked to come as well.

Ti sarebbe piaciuto il concerto?
Would you have liked the concert?

Se non avessi preso il cappotto adesso avrei proprio freddo.
If I had not put on a coat I would be freezing now.

• **Futuro nel passato** *(Future in the past)*
In a secondary clause, a future action is expressed in Italian with the past conditional.

(now)   Penso che arriverà lunedì.
         I think he will arrive on Monday.

(yesterday) Pensavo che sarebbe arrivato lunedì.
         I thought he would arrive on Monday.

11.10 Imperativo *Imperative*

Tu, voi

	-ARE	-ERE	-IRE
TU	entra	scendi	dormi
VOI	entrate	scendete	dormite
Negative:			
TU	non entrare	non scendere	non dormire
VOI	non entrate	non scendete	non dormite

The **non** + **infinito** *form is also used impersonally in* **vietato** *type notices:*

Non fumare   *No smoking*

Non sporgersi dal finestrino
Do not lean out of the window

Non parlare al conducente
Do not speak to the driver

A *few* **tu** *imperatives are irregular:*

essere	**sii**	sii gentile	*be kind*
avere	**abbi**	abbi pazienza	*be patient*
andare	**vai/va'**	va' via	*go away*
dare	**dai/da'**	da' il libro a Tom	*give Tom the book*
fare	**fai/fa'**	fa' presto!	*be quick!*
stare	**stai/sta'**	sta' fermo	*keep still*
dire	**di'**	di' un po'	*listen*

NB. Personal pronouns, both simple and double, get attached to the end of a regular imperative.

Scrivi**mi** presto.	*Write to me soon.*
Svegliati.	*Wake up.*
Dimmelo.	*Tell me (it).*
Dagliene un po'.	*Give him some.*

Lei *(formal)*

This form is borrowed from the subjunctive:

-ARE	-ERE	-IRE
arrivi	veda	parta
eviti	scenda	finisca
rientri	scriva	venga*

*For irregular verbs, just change the present tense ending **-o** *into* **-a:**

vengo	>	venga
dico	>	dica
faccio	>	faccia
vado	>	vada
esco	>	esca, ecc.

except for: **dia** (dare), **stia** (stare)

With the **lei** *form, personal pronouns go before the verb as usual:*

Prego, **si** accomodi.	*Do come in.*
Lo dia a mio figlio.	*Give it to my son.*
Non **se ne** dimentichi.	*Do not forget (it).*

11.11 Gerundio *Gerund*

The gerund is invariable:

parl**ando**	(verbi in -are)
legg**endo**, usc**endo**	(verbi in -ere e -ire)

Past gerund: avendo parlato, avendo letto, essendo uscito, ecc.

The gerund is not an adjective. It expresses the time, the way, the means or the cause of an action. NB: it always has the same subject as the main verb.

L'ho incontrato uscendo di casa. *(while doing, at the same time as)*
I met him as I was going out of the house.

I bambini imparano giocando. *(by doing)*
Children learn by playing/while playing.

Mangiando troppo si ingrassa. *(because of doing)*
If you eat too much you get fat.

Essendo generoso, non pensa mai a sé.
Being a generous person, he never thinks of himself.

Notice the difference with English:

I saw a child crossing the road.
Ho visto un bambino che attraversava la strada.

The woman speaking to Tim is my sister.
La donna che parla con Tim è mia sorella.

- **Stare + gerundio (forma progressiva, presente e passato)**

This is used for both the present and the past continuous tenses:

Non la disturbare, sta dormendo.
Don't disturb her, she is asleep.

Stavo facendo un bagno quando ho sentito un grido.
I was having a bath when I heard a cry.

11.12 Congiuntivo *Subjunctive*

While the indicative expresses factual reality and certainty, the subjunctive expresses subjectivity or uncertainty (opinion, feelings, doubt).

It is found in secondary clauses, usually after **che**, **benché** *and other link words (***congiunzioni***).*

Congiuntivo presente *Present subjunctive*

The first three persons are identical, making it easier to remember. Also notice the characteristic -**ia** *sound.*

Essere e avere:

sia	abbia
sia	abbia
sia	abbia
siamo	abbiamo
siate	abbiate
siano	abbiano

Verbi regolari:

parlare	**ridere**	**dormire**	**finire**
parli	rida	dorma	finisca
parli	rida	dorma	finisca
parli	rida	dorma	finisca
parliamo	ridiamo	dormiamo	finiamo
parliate	ridiate	dormiate	finiscano
parlino	ridano	dormano	finiscano

Verbi irregolari:

abbia (avere)   **sia** (essere)   **dia** (dare)
stia (stare)   **sappia** (sapere)

For all other irregular verbs, just change the ending -**o** *of the present indicative into* -**a**.

Uses

- *After verbs expressing* **opinion and doubt**:

  Suppongo che sia vero.
  I suppose it's true.

Credo che tu abbia ragione.
I believe you are right.

Penso che rimangano a Bari.
I think they will stay on in Bari.

Dubito che arrivino in tempo.
I doubt they will arrive on time.

- *After verbs expressing* **feelings and emotions**:

  Speriamo che esca il sole.
  Let's hope the sun comes out.

  Mi dispiace tanto che tu non possa venire.
  I am so sorry you cannot come.

  Ho paura che non passi l'esame.
  I am afraid he won't pass his test.

- *After* **impersonal expressions** + **che**:

  È meglio che ci sia una cultura europea.
  It is better to have a European culture.

  Bisogna che i giovani viaggino.
  Young people must travel.

- *After* **benché, sebbene, non è che**:

  Benché ci siano svantaggi, sono contenti.
  They are pleased, although there are disadvantages.

  Non è che costi molto.
  It is not very expensive really.

- *After* **il/la più** + **aggettivo** + **che** *(superlativo relativo)*:

  È la persona più interessante che io conosca.
  She is the most interesting person I know.

  È il libro più bello che abbia letto.
  This is the best book I have read.

- *After* **prima che/senza che** *when the subject is different*:

  Rientrate prima che faccia buio.
  Go home before it gets dark.

  Esce senza che si sveglino i bambini.
  He goes out without the children waking up.

- *In* **indirect questions**:

  Mi chiedo che lavoro faccia.
  I wonder what his job is.

Non capisco perché ridano tanto.
I can't understand why they laugh so much.

Congiuntivo passato *Perfect subjunctive*

> *presente congiuntivo di* essere/avere
> *+ participio passato del verbo*

Benché siano stati felici, vogliono divorziare.
Although they have been happy together, they want a divorce.

Sembra che abbia deciso di vivere a New York.
It seems that she has decided to live in New York.

Congiuntivo imperfetto *Imperfect subjunctive*

Note the distinctive -ss sound:

-ARE	-ERE	-IRE
parlassi	vedessi	finissi
parlassi	vedessi	finissi
parlasse	vedesse	finisse
parlassimo	vedessimo	finissimo
parlaste	vedeste	finiste
parlassero	vedessero	finissero

Irregular forms:

essere: fossi, fossi, fossi, fossimo, foste, fossero
dire: dicessi
fare: facessi
bere: bevessi
stare: stessi

Ora credo che fosse un uomo felice.
I now believe he was a happy man.

If the main action is in the past, in the secondary clause the subjunctive imperfect or pluperfect is used.

Pensavo che il fumo facesse male.
I thought smoking was bad for you.

Pensavo che avesse cominciato da ragazzo.
I thought he had started as a boy.

Congiuntivo trapassato *Pluperfect subjunctive*

> *imperfetto congiuntivo di* essere/avere
> *+ participio passato del verbo*

Ero convinta che avessi comprato tu i biglietti.
I was convinced you had bought the tickets.

Se il treno fosse arrivato in orario, ci saremmo incontrati.
If the train had been on schedule, we would have met.

11.13 Infinito *Infinitive*

The infinitive in Italian often has the value of a verbal noun. It is used:

- *to indicate an activity:*

  Mangiare frutta fa bene.
  Eating fruit is good for you.
  Sciare è la sua passione.
  Skiing is her passion.
  Non gli piace mettere in ordine.
  He doesn't like tidying up.

- *after a preposition:*

prima di uscire	*before going out*
dopo essere usciti	*after going out*
senza aggiungere altro	*without adding anything else*

- *after an impersonal expression:*

  È bello rivederti!
  È importante arrivare in orario.
  È una buona idea prendere un tassì.
  È bene fare ginnastica.
  È meglio camminare nei boschi.
  Bisogna finire prima possibile.

NB: Impersonal expressions followed by **che** *(different subject) require the subjunctive (see page 201):*
Bisogna che finiscano presto.
It's necessary that they finish soon.

11.14 Forma passiva *Passive form*

> soggetto + essere + participio passato del
> verbo principale + da...

Active (present):
I gatti mangiano i topi.
(subject)   (object)

Passive (present):
I topi sono mangiati **dai** gatti.
(subject)   (agent: by...)

Active (past):
Ignoti rapinatori hanno rubato
(subject)
due quadri famosi.
(object)

Passive (past):
Due quadri famosi sono stati rubati
(subject)

da ignoti rapinatori.
(agent: by...)

The passive form in Italian is not used as often as in English. The **si** *structure is often used instead* (**si passivante**):

Come si fa?   *How is it done?*
La pasta in Italia si cuoce al dente.
Pasta in Italy is cooked 'al dente'.

In simple tenses the passive can be constructed with **venire** *instead of* **essere**, *particularly when explaining a procedure or when the agent is not indicated:*

Il vino italiano viene esportato in tutto il mondo.
Italian wine is exported all over the world.

In passato i libri venivano scritti a mano.
In the past books used to be written by hand.

Lo sciopero verrà proclamato lunedì.
The strike will be announced on Monday.

11.15 si impersonale *'si' structure*

Si *(one, you, people) always takes the third person of the verb.*

If the verb has no object or has a singular object:

> **si + 3rd person singular**

Si arriva in 2 ore circa.
You get there in about 2 hours.

Si cammina abbastanza veloci.
You can walk quite fast.

Da qui si vede il lago.
You can see the lake from here.

If the verb has a plural object:

> **si + 3rd person plural**

Qui si parlano molte lingue.
Many languages are spoken here.

Dove si comprano i fiori?
Where can you buy flowers?

In advertisements, **si** *is attached to the end of the verb for economy reasons:*

Cercasi macchina usata.
Affittasi appartamento.
Vendonsi negozi centrali.

NB. If there is an adjective referring to si or other impersonal expression, the adjective must be in the plural form (but the verb stays singular):

> **si**
> **è meglio**   + essere + *plural adjective*
> **bisogna**

Quando si è giovani si è ottimisti.
When one is young one is optimistic.

È meglio essere preparati.
It's better to be prepared.

In questo lavoro bisogna essere flessibili.
In this job you must be flexible.

11.16 Strutture speciali
Special structures

Piacere, interessare, servire, mancare

A loro piace il golf, a noi piace il calcio.
They like golf, we like football.

Purtroppo non gli interessano le materie scientifiche.
Unfortunately he is not interested in the sciences.

Mi è piaciuto davvero quel film.
I really like that film.

(enfasi)	(senza enfasi)	(una cosa sola: singolare)	(più cose: plurale)
a me	mi	**piace** il teatro	**piacciono** i gamberi
a te	ti	**interessa** lo sport	**interessano** i libri gialli
a lui/lei a Gino/Pia	gli/le	**piace** sciare	
a noi	ci	**piace** cucinare	**piacciono** i dolci
a voi	vi	**interessa** il jazz	**interessano** le lingue
a loro	gli/a loro	**piace** l'opera	**piacciono** le feste

Servire *and* **mancare** *have the same structure as* **piacere** *and* **interessare:**

Ti serve qualcosa? Sí, mi servono altri due bicchieri.
Do you need anything? Yes, I need two more glasses.

Quanto manca all'inizio della partita?
Mancano solo cinque minuti.
How long to the start of the match? Only five minutes (are left).

Ci vuole, Ci vogliono

The third person singular and the third plural of **volere** *are used in the sense of 'it takes':*

Quanto ci vuole per arrivare a San Pietro?
How long does it take to get to San Pietro?

Ci vuole un bel coraggio!
It takes some courage!

Venti anni fa non ci volevano tanti soldi per comprare una casa.
Twenty years ago you didn't need a lot of money to buy a house.

Bisogna *(impersonal)*

Bisogna *(it is necessary) is followed either by an infinitive:*

Bisogna far presto.   *We must be quick/it is necessary*

or by **che** *+ subjunctive:*

Bisogna che impari.   *He needs to learn.*
Bisognava che prendessero il treno delle 5, ma
They needed to get the 5 o'clock train but…

NB. *The verb* **bisognare** *is never used with a personal subject. 'To need something' is expressed by* **avere bisogno di:**

Hai bisogno di qualcosa?
Do you need anything/

Ho freddo! Ho bisogno di un golf.
I'm cold! I need a jumper.

11.17 Verbi che vogliono 'essere'

accadere	*to happen*
affogare	*to drown*
andare	*to go*
apparire	*to appear*
arrivare	*to arrive*
aumentare	*to increase*
avvenire	*to happen*
bastare	*to be enough*
cadere	*to fall*
capitare	*to happen by chance*
costare	*to cost*
crescere	*to grow*
dimagrire	*to get thin*
diminuire	*to diminish*
dispiacere	*to be sorry*
diventare	*to become*
durare	*to last*
entrare	*to enter, get in*
essere	*to be*
fuggire	*to run away*

guarire	to get well		

guarire	to get well	
impazzire	to go mad	
ingrassare	to grow fat	
invecchiare	to grow old	
migliorare	to get better	
morire	to die	
nascere	to be born	
parere	to seem	
partire	to leave	
passare	to pass	
peggiorare	to get worse	
piacere	to like	
restare	to stay on	
rientrare	to return	
rimanere	to stay, remain	
ritornare/tornare	to return	
riuscire	to succeed, manage to	
salire	to go up	
scendere	to go down	
scomparire	to disappear	
sembrare	to seem	
servire	to be of use	
stare	to stay	
succedere	to happen	
uscire	to go out	
venire	to come	

11.18 Verbi e preposizioni
Verbs and prepositions

Verbi senza preposizioni in italiano

ascoltare (qn, qc*)	*(to listen to)*
aspettare (qn, qc)	*(to wait)*
cercare (qn, qc)	*(to look for)*
chiedere (qc)	*(to ask for)*
guardare (qn, qc)	*(to look at)*
pagare (qc)	*(to pay for)*

* abbreviations:
   qn = qualcuno
   qc = qualcosa

Verbi + a + infinito

aiutare qn a	*to help (sb) to*
cominciare a	*to begin to*
continuare a	*to continue to*
decidersi a	*to decide*
divertirsi a	*to enjoy…ing*
imparare a	*to learn to*
iniziare a	*to begin to*
mettersi a	*to start to/set off*
provare a	*to try to*
prepararsi a	*to prepare to/ get ready to*
rinunciare a	*to give up…ing*
riuscire a	*to succeed in …ing/ to manage to*
servire a/per	*to be used/needed for …ing*

Verbi + di + infinito

accettare di	*to accept to*
cercare di	*to try to*
chiedere (a qn) di	*to ask (sb) to*
consigliare (a qn) di	*to advise (sb) to*
dimenticarsi di	*to forget to*
dire (a qn) di	*to tell sb to*
evitare di	*to avoid …ing*
far finta di	*to pretend to be …ing*
impedire (a qn) di	*to prevent sb from …ing*
permettere (a qn) di	*to allow sb to*
pensare di	*to think of …ing*
proporre di	*to propose to*
ricordarsi di	*to remember to*
rifiutare/rifiutarsi di	*to refuse to*
rischiare di	*to risk …ing*
suggerire di	*to suggest …ing*

Vocabolario funzionale Functional vocabulary

This vocabulary contains all the words and expressions used in the instructions to the exercises.

* abbreviations:

  qn = qualcuno

  qc = qualcosa

accanto a	*next to*	confronti/confrontate con	*check/compare with*
adatti/adattate	*adapt*	continui/continuate	*continue*
affermazione	*statement*	contrario	*opposite*
aggiunga	*add*	controlli/controllate	*check*
aggiungendone altre	*adding others*	copi/copiate	*copy*
aiuti	*help*	corregga/correggete	*correct*
al massimo	*at the most/ maximum*	cosa pensa di…?	*what do you think of…?*
almeno	*at least*	cosa vuole dire?	*what does it mean?*
al posto di	*in place of*		
altrettanto	*the same*	cosa vogliono dire queste parole?	*what do these words mean?*
ampliare	*to increase*		
appena	*just*	critica	*criticism*
ascolti/ascoltate	*listen*		
si attacca	*is attached*	da notare	*please note*
attenzione!	*please note*	dare un consiglio	*to give advice*
a turno	*in turn*	da solo	*individually*
avete notato?	*have you noticed?*	decida/decidete	*decide*
		descriva/descrivete	*describe*
avviso	*notice*	dia/date consigli	*give advice*
		dica/dite a	*tell*
brano	*passage, extract*	non dimentichi/ dimenticate	*do not forget*
cause e consequenze	*causes and consequences*	di nuovo	*again*
		discussione	*discussion*
cerchi/cercate di…	*try and …*	discutere	*to discuss*
che cosa vede?	*what do you see?*	discutete	*discuss*
che differenza c'è?	*what is the difference?*	ditevi	*tell each other*
		domanda	*question*
che mancano	*missing*	dopo aver ascoltato	*after listening*
che ne pensa/ pensate di…?	*what do you think of…?*	dopo averlo scritto	*after writing it*
		dopo aver letto	*after reading*
che vuol dire?	*what does it mean?*	dunque	*then/well/so*
chiave	*key*	è d'accordo	*you agree*
chieda/chiedete a	*ask*	è possibile…?	*is it possible…?*
chi dice…?	*who says?*	espandere	*to increase*
chi è?	*who is it?*	espressioni idiomatiche	*idiomatic expressions*
collegando	*linking*		
come è andata?	*how did it go?*	esprimere opinioni	*to express opinions*
come ha fatto?	*how did you/ he/she do it?*		
		faccia/fate	*do, make*
come mai?	*why?*	faccia lo stesso	*do the same*
cominci così	*start like this*	fare domande	*to ask questions*
cominci subito	*start immediately*	fate la conversazione	*talk 'about it'*
compagno	*partner*	fate quanti più paragoni potete	*make as many comparisons as you can*
completi/completate	*complete*		
con chi è d'accordo?	*who do you agree with?*		

fatevi le domande	*ask each other the questions*	ne parli	*talk about it*
figura	*picture, illustration*	non più di	*not more than*
		non si può	*you can't/it is not possible*
frasi	*sentences*		
freccia	*arrow*	ogni	*each*
grafico	*diagram, graph*	ognuno	*everyone/each*
guardi/guardate	*look at*	ora	*now*
ha/avete indovinato?	*did you guess?*	paragone	*comparison*
		parlatene/ne parli	*talk about it*
immagini/immaginate	*imagine*	parole chiave	*key words*
in che	*in which*	pensi/pensate (a)	*think about/of*
indicare	*to indicate*	per	*for, (in order) to*
indichi/indicate	*show/indicate*		
indovini/indovinate	*guess*		
in gruppo	*in a group*		
inizi/iniziando	*start/starting*		
insieme	*together*		
intervista	*interview*		
introdurre	*to introduce*		
lavori con un compagno	*work with a partner*		
lavorando	*working*		
legga/leggete	*read*		
lei fa la parte di…	*you take the part of/you are…*		
lo sapevate?	*did you know?*		
manifesto	*poster*		
metta/mettete	*put*		
metta in ordine di priorità	*put in order of priority*		

per casa	homework/to do at home
perché	why?
per esempio	for example
personaggio	character/person
precedenti	previous
prenda/prendete appunti/nota	take notes
prepari/preparate	prepare
presenti/presentate	present
preso in prestito da	taken from
prima di leggere/ascoltare	before reading/listening
(la) propria opinione	one's own opinion
protestare	to protest
provi/provate (a)...	try and...
punto di vista	point of view
qual'è? quali sono?	which one is.../which are...
quali di questi...?	which of these...?
quello che dice	what he/she is saying
raccontare	to tell (narrate)
radice	root
registri/registrate	record
resoconto	report
riascolti/riascoltate	listen again
riassuma/riassumete	summarise

riassunto	summary
richiesta	request
ricordate?	do you remember?
ricostruisca/ricostruite	sort out/reconstruct
riempia/riempite	complete/fill in
rilegga/rileggete	read again
rimetta/rimettete al posto giusto	put in the right place
riquadro	box
riscriva/riscrivete	write again
risponda/rispondete a	answer
risposta	answer
sa/sapete già	you know already
sequenza	sequence
scelga/scegliete	choose
scambiatevi i ruoli	swap roles
scegliendo	choosing
scheda	diagram, grid
scheda personale	personal information form
scopra/scoprite	discover
scriva/scrivete	write
secondo lei/voi	for you
segni/segnate	tick
segua/seguite	follow
seguente	next/following
senza guardare/riascoltare	without looking/listening again

si riferisce/riferiscono (a)	it refers/they refer (to)
si trova/si trovano	is/are
significato	meaning
si usa/usano	is/are used
si accorda con	it agrees with
sondaggio	survey
sopra	above
sostituisca/sostituite	substitute
sotto	below
sottolinei/sottolineate	underline
spieghi/spiegate	explain
studi/studiate	study
suggerire	to suggest
traduca/traducete	translate
trasformi/trasformate	change
trovi/trovate	find
uno di voi	one of you
usando/utilizzando	using
usi/usate	use
vada/andate a	go to
vediamo	let's see
velocemente	quickly
vignetta	joke

Indice analitico

Index

Bold numbers refer to Units; numbers preceded by G refer to
the Grammatica. starting on p.181.